Púrpura

Ana García Bergua

Púrpura

Alianza Editorial

© *Ana García Bergua, 1999*
© *Ed. cast.: Alianza Editorial, S. A., Madrid, 2001*
Calle Juan Ignacio Luca de Tena, 15; 28027 Madrid; teléf. 91 393 88 88
ISBN: 84-206-4440-4
Depósito legal: M. 18.127-2001
Impreso en Fernández Ciudad, S. L.
Catalina Suárez, 19. 28007 Madrid
Printed in Spain

Índice

Para la tertulia del Konditori.
Para papá con todo y el cine mexicano.

Me impongo la costosa penitencia
de no mirarte en días y días, porque mis ojos,
cuando por fin te miren, se aneguen en tu esencia
como si naufragasen en un golfo de púrpura,
de melodía y de vehemencia.

Ramón López Velarde,
La mancha de púrpura.

I

La casa de Mauro estaba cerca del centro. Eso le permitía sin problemas irse a pie al trabajo, o bien tomar el coche cuando había la necesidad. Las mañanas en que disponía de mucho tiempo, se iba caminando y silbaba, o cantaba una canción, o bien se arreglaba el pañuelo del traje. Aunque poseía muchísimos, por lo general llevaba a la oficina tres trajes distintos: uno café, de batalla, que renovaba a menudo, y que era de casimir fino. También usaba uno gris, más abrigoso, con tenues rayas blancas y negras, que le gustaba vestir con corbata tejida negra o azul. Los días en que quería lucirse, ya fuera porque lo esperaba un cliente importante, de los que firman contratos jugosos, o porque deseara ir después al teatro, se ponía un traje azul marino, de una tela que yo hasta el momento —y eso que ha pasado mucho tiempo— no he podido identificar. Con ese traje, mi primo Mauro lucía toda su percha, pues era alto, de pelo muy oscuro y brillante, y tenía los ojos azules.

Mauro era el orgullo de mi abuelo, de su padre y hasta del mío, que siempre nos miraba con cierta decepción por no haber salido como él, pero es que la materia prima del esplendor de Mauro fue su madre, que venía de Bélgica: de ahí salieron sus ojos azules claros, de tanta distinción, y esa altura con la que a todos nos hacía sentir tan poco y a la vez nos llenaba de admiración. Mauro fue siempre nuestra referencia de un mundo mejor; sabíamos que vivía en la ciudad de Tonalato, donde era muy conocido y respetado, pero no nos atrevíamos a llamarlo o a visitarlo por miedo a que se avergonzara de nosotros, y aunque esto jamás lo confesábamos, se trenzaba en nuestras frases de elogio a sus logros, o en el recuerdo de lo bien que hacía todo cuando niño.

Si decidí ir a verlo fue porque estaba cansado de no progresar: la vida en San Gil McEnroy, nuestro pueblo natal, era apacible, pero a la vez pobre y monótona. Ciertamente la fábrica de papel —de donde toma el nombre de McEnroy, pues antes era San Gil a secas, o bien San Gil Tucantecuhtli— le daba cierta importancia, pero fuera de ella en el pueblo no había nada; todos los trabajos que había en aquella fábrica eran de operario, agente, obrero o capataz. Este último era muy difícil de obtener, seguramente porque era el mejor pagado y al que todos aspiraban. Yo, hasta eso, tenía buena suerte: había logrado un pequeño puesto de oficinista en la sección de ventas e iba con traje a trabajar, pero hasta ahí. Un día me percaté, al ver el desprecio con que el patrón y sus ejecutivos me ignoraban al pasar, de que jamás me ascenderían. Por otra parte, al paso que iba nunca lograría tener en mis brazos a Pura, la secretaria del patrón —una de mis ilusiones secretas—, y era muy remoto que me llegaran a enviar a la capital, como hacían con los empleados sobresalientes.

Entonces a mi madre se le ocurrió la brillante idea.

—¿Quieres progresar, hijo? —me dijo una noche, mientras escuchábamos la radio merendando conchas de pan dulce untadas con frijoles—. Vete a ver a tu primo Mauro; obsérvalo, aprende de él.

Lo primero que hice fue ponerme por carta a disposición de mi primo y debo agradecer que, fino como era él, me contestó. Me dijo que cómo no, que había un cuarto disponible en su casa; hasta me envió el pasaje del camión. Me despedí de San Gil con una lágrima, y pensé que tal vez lograría regresar coronado por el éxito, como debe ser, a sacar a mi madre de las estrecheces. Así llegué a Tonalato, la capital del estado que ya a mí me pareció la capital del mundo: sus monumentos, sus plazas, todo me apabulló, me llenó de complejas impresiones.

No dejaba de observar a Mauro, y ciertamente su personalidad era de lo más interesante; estaba llena de recovecos, de sutilezas que yo hubiera querido comprender de golpe, como en una iluminación. Toda la ciudad lo conocía: buenos días, señor Bolívar, era lo primero que escuchaba siempre. Desde el mayordomo que le servía el desayuno, aquello no paraba: de los comercios, de las bocas de los vecinos con quienes se topaba, de la gente más prominente, el alcalde, el gobernador, hasta los que boleaban los zapatos en la plaza, los que vendían las postales en los portales, los meseros del café El Iris y del bar Capri donde se juntaban las personalidades. De todo el mundo salía un saludo respetuoso, amable e impostergable, además, pues los saludos a Mauro interrumpían multitud de ocupaciones. Casi como en las comedias musicales norteamericanas que nos pasaban en San Gil, tal era la coordinación de toda la ciudad para saludar a mi primo. Cuando lo acompañaba en las mañanas al trabajo, me sentía orgulloso de ir junto a aquel hombre tan respetado.

Y él no renegaba de mí. Desde un principio me presentó con todo el mundo, hasta con los intelectuales del lugar. Mi primo Artemio tiene madera de poeta, les llegó a decir. Yo, de lo más avergonzado, cometía infinidad de torpezas: saludar con la mano que no era, balbucear o tirarles el café encima. Mauro, sin embargo, bromeaba de un modo tan elegante que uno casi sentía que quien cometió aquellos errores era otro que no estaba ahí. Por mi parte, me afanaba en igualar su paso por la calle, su manera de caminar tan relajada y suelta, y así me iba sintiendo incluso un poco parecido a él, cosa por lo pronto muy lejana a mi condición.

Sus zapatos siempre combinaban con lo que traía puesto: pantalón negro, cinturón negro y zapato negro, por ejemplo. Y lo mismo ocurría con el marrón. Mauro usaba joyas finas: un reloj de oro, una cadena, un anillo, y una colonia que le daba mucha distinción, pero que no hedía como esa horrible que usaba mi tío Anselmo y que se nos pegaba a todos como un pulpo viscoso, persiguiéndonos por toda la calle de San Gil. Cuando Mauro llegaba a su oficina, en la compañía de construcción de su propiedad —un moderno edificio de cuatro pisos en forma de torre escalonada, que por cierto también era suyo— las reverencias continuaban. Todas las secretarias le ponían su mirada más interesante, colocaban el cuerpo en la mejor disposición como si él pudiera hacer de ellas lo que le diera la gana. Y los empleados, si tenían algún resentimiento, lo ocultaban. En eso me fijé muy bien. Comparando la fábrica de papel con este templo al trabajo, definitivamente no pude menos que aceptar que eran algo muy distinto: mientras en la fábrica todo transcurría en una oscuridad tristona y parda bajo las lurdas lámparas industriales, entre los fríos escritorios de lámina gris y las enormes Remington que parecían contratadas para vigilarnos, aquí todo era caoba, alfombras azules, elegancia. El ambiente era dinámico, moderno. Todos a la una —los arquitectos, los ingenieros, los ejecutivos de gran nivel— salían al bar a tomar la copa, detrás de Mauro por supuesto.

Y en el bar aquello era una fiesta de recibimientos, palmadas en las espaldas, preguntas interesantes. A esa hora yo prefería no acompañarlo, porque me daba vergüenza. Aunque muy amablemente me invitaba, yo temía hacerlo quedar mal con toda esa gente, tirando cosas al piso o ensuciándolos al saludarlos con mis manos que no lograba mantener pulcras, por más que las lavaba a todas horas. Prefería regresarme a la casa, aunque ya nadie de las tiendas, ni el policía, ni los del tostador de café me saludaban: porque carecía, estaba consciente, de una personalidad magnética. Me sentía de nuevo tan solo como antes, cuando regresaba a San Gil en la noche por la carretera, bordeando la valla de alambre gris que reservaba los terrenos de la fábrica de las invasiones y los paseos dominicales. A esas horas el cielo se me caía encima, el viento me golpeaba el rostro. A lo lejos me llamaban melancólicas las pocas luces de mi pueblo sin gracia y sin belleza, tan distinto de esta ciudad moderna, tan dejado de los ángeles. La enorme sombra negra de la fábrica con sus chimeneas, depósitos y tanques alzados como gigantes contra el cielo azul oscuro, agobiaba mi espalda. Bajo mis plantas la tierra, la carretera de asfalto negro: nunca me sentí más pleno y a la vez más solo y desdichado que al recorrerla, a veces llorando o gritando al viento, presa de una exaltación incomprensible, a veces solamente cabizbajo y triste. Con este pobre capital de intensidades fue con lo único que viajé a Tonalato.

Llegaba a la casa de Mauro y ya olía el trajín de la cocina, tintineaba la vajilla: Mauro diariamente recibía invitados, cinco a lo menos, y su mayordomo Alfonso estaba acostumbrado a tenerlo todo listo. Azuzaba a la servidumbre, a Queta la cocinera, a Nacha la camarera, a Tilo el chófer y a Juan y a Albertina, que ayudaban en todo lo demás que se ofrecía, aunque todos lo odiaran: cómo lo odiaban, pues era su capataz. Los esclavizaba en nombre de Mauro pero sin su encanto. Cuando no estaba Mauro, uno escuchaba en todos los rincones conversaciones llenas de resentimiento, alta política si la hay, la de estos seis personajes llenos de ambición y a la vez de reverencia hacia el amo. Porque tanto como detestaban a Alfonso amaban a Mauro, y yo sé que Tilo y Juan hubieran robado si él se los pidiera; que todas las muchachas perderían el honor que cada una en su grado conservaba, a la menor insinuación de mi distinguido primo. Todo esto me parecía como un libro, debo confesarlo, y recorría la casona haciendo un poco el poeta para que me tiraran a loco y no me hicieran caso, en pose estudiada de meditación, pero en realidad espiaba con creciente interés la vida de esta casa, similar a la de un palacio con su corte. En el salón, detrás de alguna de las columnas de mármol, Nacha y Albertina cuchicheaban. Luego llegaba Alfonso y las sorprendía; las espantaba entonces:

—¡A trabajar, chismosas!, que no tardan en llegar los invitados del señor.

Y ellas a continuación desempolvaban algún pastor de porcelana con su oveja, una lámpara de pie dorado, o guardaban los libros que había sacado Mauro en la noche para hojear tomando su coñac.

—¿Desea el señor alguna cosa? —me decía cualquiera de los tres si me veía ahí.

Si decidía mejor subir a mi recámara y esperar ahí recluido la hora de la comida, podría ser que en el pasillo de alfombra roja que daba a las habitaciones sorprendiera a Tilo persiguiendo a cualquiera de las muchachas: ese chófer era tan feo como guapo era el amo, qué barbaridad, y sin embargo nunca había visto fiera tan caliente como él. Cada una de las hembras del caserío lo había insultado ya, lo había abofeteado, o le había pateado las partes; aun así volvía a las andadas. Eso sí, cuando lo encontraba en una de esas situaciones, se recomponía el moño de la corbata y me preguntaba: ¿desea algo el señor? Estaba muy bien educado, todos ahí lo estaban. Pero era un gran contraste ver escenas de esa índole, de lo más vulgares, frente a la recámara de mi primo, con su cama alta de dosel, sus cortinas, su mosquitero, el baño que tenía en su recámara con una gran tina al centro, verde y azul como una alberca. Hasta el momento no lo había visto usar con mujer ninguna una sola de aquellas comodidades que le hubieran podido proporcionar noches verdaderamente arábigas, aunque no me habría extrañado que en la madrugada, quizá, cuando la casa estaba a oscuras, se le colaran por la ventana las damas más sobresalientes de la ciudad. En realidad yo qué iba a saber de eso. A duras penas en San Gil McEnroy me habría escapado unas diez veces en toda mi vida al puterío ambulante que se instalaba cada año, durante la primavera, en un terreno baldío de la fábrica oculto a los ojos de todas las señoras y las buenas conciencias de San Gil, que eran como tres. Yo creo que de no ser por ese pequeño alivio que traía desde California el señor Smith, uno de los altos ejecutivos norteamericanos de McEnroy & Samuels Incorporated, los empleados nos hubiéramos muerto de tristeza. ¡Pero qué distinta la recámara de mi primo, con sus almohadones, sus brocados y su bata de seda verde que colgaba de algún lugar muy estratégico, de los tráileres donde Doris, Lilly, Annie y Kathy Pussicat, mujerzuelas de Tamaulipas, se empeñaban en figurar que eran de Texas para impresionarnos!

Cuando Mauro ya iba en camino a casa al mediodía, se escuchaban desde dos cuadras de lejanía las voces de él y de su corte de invitados. En general los comensales variaban, pero había unos que iban siempre. Por ejemplo, el doctor Lizárraga, un joven cardiólogo casi tan joven, casi tan apuesto y casi tan encantador como Mauro. Yo no podría decir que era su segundón, porque el doctor Lizárraga tenía su vida propia, muchos pacientes y señoras que lo requerían a lo largo del día. Es más:

en las novelas que había leído, siempre resultaba que el médico de la casa era un señor pachoncito y feo que estaba ahí como por si acaso, para que todos le contaran todo, para que dijera lo que iba a pasar, o que anunciara la muerte de algún otro, en fin. Sin embargo, aunque fuera de esperarse, en casa de Mauro no ocurrían estas cosas clásicas, sino puros líos entre la servidumbre, siempre conspirando entre las columnas y los cortinajes. Las intrigas entre los ejecutivos de la constructora añadían también sazón al panorama: los ingenieros se disputaban los puestos más altos, el favor de mi primo o las comisiones para viajar a Chicago, y se metían el pie de los modos más salvajes. Pero de todas esas componendas se mantenía siempre ajeno el doctor Lizárraga; no sé exactamente de dónde o de cuándo provenía su relación con mi primo Mauro. Quizá era de la preparatoria, porque entre ellos existía una gran confianza casi fraternal, muy distinta a la que tenía Mauro conmigo que sí era su pariente; a mí a veces, aunque fuera de la manera más amable, me ordenaba que le llevara unos papeles a la oficina, que le pidiera a la secretaria unas copias de carbón, o que fuera a la tienda a comprarle cigarros, como un criado.

Ya pronto Mauro me ofrecería un empleo; me lo dijo poco después de mi llegada, con su estilo casual, pero lleno de elegancia. Siempre le hablaba a la gente así, como quien no quería la cosa, y yo no sé qué le daba a uno cuando mi primo le dirigía la palabra, que uno rogaba al cielo por que no lo mirara. Y eso que sus ojos azules eran de lo más bonito que yo había visto, sin ser maricón, pero es que de veras, ni las muchachas más lindas que conocía y que me gustaban mucho, ni Pura la secretaria de la fábrica tenía esos ojos. Lo que pasaba era que cuando Mauro lo miraba a uno, daba una especie de vértigo que impedía decir no. Además, cómo me iba a negar a nada que me pidiera, con la suerte que tenía de que mi primo me hubiera acogido en su casa, queriendo ayudarme a ser alguien de provecho. Lo bueno que aquí, como sólo estaba observando, no tenía mayores ocupaciones que progresar y entregar mi vida a lo que Mauro dispusiera. Mamá en sus cartas me escribía eso, que hiciera cualquier cosa que él me dijera. «Él sabe mucho más que tú», decía, y yo sabía que por lo menos iba a aprender buenos modales. El caso es que finalmente me dijo Mauro que si me gustaría trabajar en la constructora y yo le dije que sí, pero no me dijo nada más; siguió masticando su guisado. Luego le preguntó al doctor Lizárraga cuándo iba a Nevada. Yo me imaginé que pronto saldría de Mauro alguna otra palabra concerniente a lo del empleo.

No he descrito lo que se comía en casa de Mauro, que era muy variado: canapés mexicanos e internacionales, que Alfonso salía a ofrecer siempre a la sala en una charola dorada; luego pasábamos todos al comedor ya medio mareados, porque a Mauro le gustaba convidar a sus invitados con cócteles americanos de colores, y por supuesto también tequila. No sé cómo hacía para conservarse a diario así, porque yo ya no podía tomar vino en la comida después de eso, y varias veces se me llegó a caer el pan tras fallarme el pulso debido a la estupidez en que el alcohol me sumergía. Ya Mauro me había aconsejado en cierta ocasión que mejor no tomara el aperitivo, ni el vino, ni el coñac de después, ni nada, pero como lo hizo de modo tan elegante no me di por aludido. Hasta después me vine dando cuenta de que aquello me lo decía a mí, qué contrariedad, y había hecho tanto el ridículo en las comidas. La sopa siempre era una crema de algo. Llegué a creer que el caldo carecía de elegancia, porque nunca se tomaba ahí, a menos que fuera con la sopa de médula que sólo una vez tomé. Y los guisados eran espectaculares: lechones enteros con su infaltable manzana en la boca, lomos con salsas que mi paladar rústico no entendía

—así serían de complejos sus ingredientes—, langostas que al principio confundí con alacranes gigantes y enrojecidos. Yo ponía siempre frente a esas cosas una cara de entusiasmo que me iba muy mal, lo sabía, pero que no podía evitar, porque todos —el doctor, los ingenieros, mi primo— hacían como si aquello no estuviera ahí, o como si fueran viles frijoles. Y eso que en San Gil no éramos pobres ni comíamos mal: mi madre nos consentía con sus mejores guisos, pero nos faltaba cultura, después lo entendí, mundo culinario.

Me gustaba observar a Mauro, ver que todo lo hacía como en un sueño, que nunca parecía darle importancia a lo que estaba ocurriendo en ningún instante, y aun así, al final del día, había mandado infinidad de cosas, media ciudad se había puesto a su disposición, por él la gente casi se mataba. Después de comer, Mauro subía a tomar su siesta, dejando al doctor Lizárraga con los invitados: el otro era como un doble suyo en esos momentos, manejaba la conversación, detallaba negocios, preguntaba aquí o allá alguna cosa, y ponía punto final a la comida. Es decir que cuando le daba el último sorbo a su café, ponía la servilleta en la mesa y decía a trabajar, señores, nadie respingaba, todos nos levantábamos. Yo sonreía con torpeza y me dirigía a mi recámara.

—Bendita soledad —pensaba al recostarme, soltándome el moño de la corbata que ya a esa hora me asfixiaba—, cuánto esfuerzo me cuesta desenvolverme en este ambiente.

Mi recámara era amplia y tenía una cama individual con una colcha de lana verde seco, una alfombra roja y cortinas verdes también. Junto a la ventana se erguía un ropero grande, barrigón, café oscuro, y yo mismo había colgado un retrato de san Judas Tadeo en la pared tapizada de tela beige con flores, arriba de los cuadros de escenas bucólicas. En una esquina había un pequeño sillón acolchado y cómodo, estilo Luis XIV

—según me había explicado Nacha— que a veces me gustaba imaginar que era una persona, un amigo al cual relatarle mis impresiones. Mi compañero de la pubertad, Erando Guízar, con el que compartí la menuda intimidad de los chamacos de secundaria, había sido enviado a la fábrica de papel de Veracruz hacía ya como siete años; desde entonces no sabía de él. Pero solía pensar que el sillón era mi amigo Erando y así le hablaba —en mi pensamiento, claro está— de lo que iba viviendo, del detalle de las impresiones que a fin de cuentas eran el pasto de mi aprendizaje. Seguido leía a los autores clásicos que iba recolectando en la biblioteca de mi primo, bien surtida, por ejemplo *Los tres mosqueteros,* y me imaginaba que mi primo Mauro era D'Artagnan, el doctor Lizárraga Athos, yo Porthos, y Aramis era, qué remedio, Alfonso el mayordomo. Y que teníamos aventuras sin igual, a pasto, cuyo solo pensamiento me alegraba. Después de este inocente esparcimiento tomaba una ducha y salía de nuevo vestido lo mejor que podía, para lo que se me requiriera.

En las tardes solía ir a la oficina de mi primo; me sentaba en un rincón y lo miraba totalmente embobado hasta que él me pedía alguna cosa. A esta admiración él reaccionaba con molestia, pero no la podía evitar. Su apostura al tomar la pluma, por ejemplo, una Sheaffers dorada, fina, de la que brotaba firme su letra sin temblores, regular e idéntica a sí misma en cada palabra. Era un as en el manejo del grafo y el lapicero: era más fácil que a los arquitectos a su servicio se les fuera chueco el trazo, a que a él le ocurriera. Me daba la impresión de que así era su vida, siempre derecha, el objetivo siempre ahí en el horizonte, claro y definido. Afuera el teléfono no paraba de sonar. La diligente Lupita, su secretaria ejecutiva, parecía la encargada de frenar a toda la capital que requería de Mauro para diversas cosas. A veces, mi primo fruncía el entrecejo: eso quería decir que una idea estaba luchando por tomar forma, una idea prodigiosa, llena de genio e inventiva, un rascacielos, un puente, una bodega, lo que en ese momento le hubieran encargado. Y yo, espectador privilegiado de aquella íntima superioridad, quería convertirme en una más de las flores de lis que adornaban las cortinas, ser invisible para que la soledad creadora de mi primo fuera perfecta. Casi lo era, porque él olvidaba que yo estaba ahí y yo mismo llegaba también a olvidarlo, anegado en sus esquemas, sus dibujos, las frases que subrayaba con una delgada línea, el gesto viril al voltear el cuerpo para contestar el teléfono, el timbre metálico de su voz, esa cortesía con la que imponía su voluntad casi mágicamente...

Al paso de los meses, mi admiración llegó a ser tanta que yo mismo no la soportaba. Si Mauro no me pedía nada, prefería salir a la tarde de Tonalato, perderme en las callejuelas donde las jacarandas habían ya tendido su tenue alfombra lila, pasear por el húmedo catafalco que resguardaba el archivo municipal, entre sus arcadas antiguas, bajo sus cúpulas que frente al crepúsculo magnificaban mi agitada respiración. ¿Cómo podía ser que Mauro y yo tuviéramos la misma sangre, por lo menos de parte de padre, y que fuéramos tan distintos, casi opuestos, que él se encontrara en el cenit y yo en el lodo, como dos niños en un sube y baja? Con el tiempo me empecé a dar cuenta de que la admiración me impedía progresar; yo, que me había propuesto aprender todo, elevar mi condición, salir de mi ignorancia, no lograba más que quedarme pasmado, abismado ante lo poco que era yo y lo mucho que era él. Entonces lloraba mucho. Lloraba tanto como antaño en la carretera, ante la mirada compasiva de la encargada del archivo espiándome oculta tras un cancel. Varias tardes pasé en esta suerte, loco y conflictuado entre las piedras de tantas centurias, añadiendo a su humedad la de mis lágrimas, hasta el día en que todo acabó.

Llegué a la hora de la cena a casa de Mauro. Mi semblante ya estaba apaciguado, también mi corazón. Mauro cenaba con unas cuantas personalidades del pueblo, con el alcalde, con el primo del señor gobernador, con la esposa del edil del vecino pueblo de Las Rosas y la señora viuda del general Galindo que había ganado la batalla de Tonalato en la Revolución. Me recibió muy amablemente, me presentó con toda esta gente importante, y como siempre, no se rebajó a preguntarme dónde andaba. Terminada la cena, pasamos al salón a jugar canasta. Seguro estaba yo de que me tocaba perder, cosa que muy mansamente hice, jugando muy mal aunque sabía hacerlo bastante bien, pues de niño mi madre me había enseñado ese juego que según mi papá era para señoras pazguatas, pero que a mamá le ayudaba a pasar las tardes monótonas de San Gil McEnroy. Así que Mauro y el alcalde ganaron; yo perdí junto con la viuda del general, mientras que la esposa del edil de Las Rosas tocaba *Para Elisa* en el piano y el primo del señor gobernador leía bonitos versos de Bécquer que llenaban mi alma del más horroroso sentimiento de confusión. Sin embargo, luego de la fácil victoria, noté en el rostro de mi primo, por primera vez, una nube de decepción: él tan alegre, tan moderno, tan expedito en todo, se veía preocupado, y no era aquel fruncimiento de cejas característico de él cuando afloraba a su mente una idea genial lo que se veía, sino que sus ojos azules vagaban de un lado a otro, o buscaban algo insistentemente con la mirada. Parecía que quisiera decirle algo a Alfonso el mayordomo, pero se arrepentía. Encendía un cigarro y otro después, sin haber apagado el anterior; se paraba para irse a acostar, y a medio camino continuaba la conversación. De repente, pareció decidirse; sin decir agua va, subió las escaleras diciendo muy buenas noches tengan ustedes, me debo retirar a descansar; se quedan en su casa. Y se fue a acostar, así, sin más. En ese momento yo hubiera deseado seguirlo, suplicarle que, dada la ausencia del doctor Lizárraga, contara conmigo como confidente, pero no me animé. Tuve temor de que me rechazara, o de darle vergüenza con mi mirada boba. Los invitados se fueron levantando y se despidieron, un poco desconcertados. Finalmente subí a mi habitación. En aquellos días me había dado por leer *El retrato de Dorian Gray,* y a veces veía así a Mauro, como un ser magnífico, lleno de perfecciones, que sin embargo pasaba por alguna tragedia como haberle vendido su alma al diablo, o algo así. El caso es que me acosté leyendo aquel libro, y con él en las manos me dormí. Ya me había pasado que me dormía con las luces prendidas por estar leyendo, y que a la mitad de la noche su fulgor intenso me despertaba, obligándome a pararme para apagarlas. Fue entonces que al levantarme al apagar la luz escuché pasos en el corredor.

Intrigado, entreabrí la puerta un poco para ver qué estaba sucediendo y por la estrecha rendija me pareció ver un personaje un poco fantasmal, con una capa. No sé por qué esa figura me recordaba a algo que yo ya había visto antes, pero no podría asegurarlo. Sentí como un pinchazo de miedo y aun así no pude cerrar la puerta: temía más que al cerrarla llamara la atención de la singular figura y que ésta, al voltear el rostro, me atacara por alguna razón. Yo imaginé que ese sujeto vestido con una capa y —después pude darle el nombre a lo que traía puesto en la cabeza— sombrero de copa, era un ladrón. ¿O qué hacía ahí, a la mitad del pasillo, parado en esa guisa y como disponiéndose a entrar al cuarto de mi primo? Tenía la garganta seca y pensé que esto para mí era demasiado, que nunca podría enfrentar la vida en este lugar. No pude evitar toser. Al percatarse de mi presencia, el sujeto de la capa echó a correr y se lanzó por una ventana grande que estaba abierta en el fondo del pasillo y que, bien lo sabía yo, daba al amplio jardín sembrado de hortensias y margaritas. Instintivamente pegué un grito, mientras corría a asomarme a aquella ventana, afuera de la cual reinaba la negra noche de Tonalato. Entonces llegó jadeando la servidumbre a ver qué pasaba, y al explicarles yo que alguien se había caído por la ventana, me miraron como si estuviera loco primero y después sí se intrigaron, como buenos sirvientes que eran, intrigantes y chismosos. Lo que me extrañaba —aunque no sabía si decírselo a Alfonso— era que Mauro no hubiera salido de su habitación. Este hecho despertó mi inquietud de que el extraño personaje fuera él. Así que bajamos todos corriendo al jardín, con el corazón bastante encogido por el temor de encontrar a mi primo muerto entre las flores, pero no. No había absolutamente nadie, si bien las flores se notaban un poco aplastadas debajo de la ventana. Tras mucha deliberación, la servidumbre me suplicó que tocara yo a la puerta de la habitación de Mauro y lo despertara. Lo hice, pero no abrió, de modo que todos empezamos a preocuparnos. Entonces, protegido por la penumbra y la curiosidad, me animé a dar vuelta al picaporte. No sé cómo explicar la vergüenza, el pasmo, la confusión que sentí al encontrar al doctor Lizárraga, parado en medio de la habitación de mi primo con su bata de seda.

La escena fue de lo más borrosa. El doctor me hizo seña de que entrara y cerrara la puerta, para evitar que los sirvientes lo llegaran a ver. «Disculpe, doctor», alcancé a murmurar, con la sangre en el rostro, pero no logré abrir más la boca, ni decir lo que había visto, ni por qué había abierto la puerta del cuarto de mi primo tan violentamente. El doctor Lizárraga, sin embargo, con una calma que cualquier persona de las que se dicen finas en San Gil hubiera envidiado, me invitó a sentarme en un canapé, encendió un cigarrillo y me preguntó si quería yo viajar y conocer la capital. Le dije claro que sí, mientras a mi alrededor espiaba la tina llena de espuma, las sábanas de satén color vino abiertas como flor en la cama, los cortinajes cerrados, y aspiraba un olor que me parecía familiar, y que sin embargo encontraba inimaginable en aquel lugar, en medio de la elegancia y la sobriedad del caserón de mi primo, razón por la que preferí convencerme de que era algún perfume o colonia varonil. Y aunque tenía ante mis ojos la verdad, o por lo menos una fuerte insinuación de ella, decidí borrarla de mi mente mientras escuchaba los planes del viaje que el doctor Lizárraga me tenía deparado como representante de Mauro en la capital ante la firma Dickson Coloured Pencils, de manera que al final quedé sumamente agradecido de su bondad extrema, de que Mauro y el doctor se encargaran de mí como de un ahijado y me libraran de esta situación tan penosa y para mí llena de dolor. Así que no le dije nada sobre el personaje de la capa, salí cerrando la puerta con mucho cuidado y anuncié a Alfonso y a todas las muchachas ahí reunidas que el señor Mauro estaba perfectamente bien y que yo, seguramente, había tenido alguna pesadilla.

II

Al día siguiente, durante el desayuno, Mauro me ofreció que me llevaría a la estación de tren personalmente. Me había costado mucho trabajo levantarme, incluso vestirme sencillamente, frente a la idea de que algo muy vergonzoso tenía que enfrentar, y sin embargo fingir que nada raro estaba ocurriendo. Después de vestirme, empaqué mis pocas pertenencias, pensando sólo en que quizá mi madre me diría que si el destino me llevaba a algún lugar mejor, era conveniente no ofrecer ninguna resistencia. De modo que, ya preparado, bajé a desayunar al comedor y me decidí a no mirar a Mauro a los ojos, pero mi primo me habló con insistencia, incluso con cariño, me explicó la importancia de la labor que desarrollaría yo frente a la empresa americana de lápices, y en un momento de descuido levanté mis ojos hacia los suyos encontrando, como siempre, el mismo encanto, la misma afabilidad que me abismaba. Imposible concebir, viéndolo mientras comía su huevo tibio, que en las noches se ocupara de cosas tan extrañas y además con disfraces. Pero tapé esos pensamientos, no dejé que salieran a la luz las negras sospechas, porque sabía que eso empañaría mi mirada y por ende nuestra despedida, que debía de ser tan nítida y formal como hasta entonces había sido nuestra relación.

Ya acomodados en el asiento trasero del coche, me aclaró Mauro que éste no era un adiós definitivo:

—Llegando a la capital quiero que te instales en el hotel Gillow, ya llamé y todo está arreglado: vivirás ahí con todas las comodidades, mientras buscas un departamento que sea de tu gusto. Mensualmente te enviaré dinero para que vivas.

Yo no entendía por qué tanta bondad, si podía pedirme tranquilamente que me regresara a San Gil con la sola explicación de que era muy pazguato; tanto yo como mi madre hubiéramos aceptado el hecho con mucha resignación. Yo le hubiera dicho sí, Mauro, sí lo soy, y ni el pasaje le hubiera pedido, pero no era así. Ya cuando pasábamos por las peores casuchas de Tonalato, me repetí las instrucciones que Mauro me había dado previamente:

—Mañana irás a la Dickson Coloured Pencils, que se encuentra en las calles de Palma y Pachuca. Preguntarás por el señor Willie Fernández, y él te explicará cómo está la cuenta de nuestra empresa ahí. Lo único que tienes que hacer es ir a verlo todos los jueves, recibir sus informes y hablarme por teléfono a Tonalato para repetírmelos. Cada quince días te pagará una cantidad que me vas a girar inmediatamente, a nombre de la empresa. Cualquier problema que surja me llamas.

Enseguida volteó hacia la ventanilla y encendió uno de sus Elegantes con el estilo de siempre, echando mano del encendedor de oro con sus iniciales labradas. Todo yo era una interrogación: ¿por qué no le informaban y le giraban directamente?, ¿por qué me pagaba y me alojaba por tan poco servicio?, ¿qué iba a hacer yo solo en la capital?, ¿pues qué era tan terrible a fin de cuentas que hubiera yo encontrado al doctor Lizárraga en su habitación con su bata de seda? No me respondí nada; me limité a mirar el paisaje lleno de preocupación. Afuera, a mitad del campo baldío, unos niños bastante desharrapados corrían junto al tren agitando las manos: ya íbamos a llegar a la estación. Tilo me ayudó a bajar el equipaje y Mauro me acompañó hasta el andén. En el camino noté que cojeaba un poco; esa caída desde la ventana debió haberlo lastimado seriamente. Nos despedimos con un fuerte apretón de manos y a mí se me salieron algunas lágrimas que no logré contener: me abracé fuerte de mi primo sintiendo la frialdad de su traje planchado, oloroso a lavanda, aunque me separé enseguida, temiendo mancharlo o avergonzarlo. Subí al tren lleno de pesar, sin reparar en que por primera vez en mi vida viajaba yo en primera clase. Ya desde la ventanilla vi cómo se alejaba mi primo con Tilo, que traía puesto el uniforme con la gorra y todos sus adornos dorados. Qué apostura tenía mi primo, qué naturalidad al caminar. La gente de la estación lo saludaba, como era habitual; por verlo irse no me senté en mi lugar sino hasta que se perdió entre las tiendas de puros y recuerdos. ¿Pues de qué se había disfrazado para jugar con el doctor, a fin de cuentas? De repente me di cuenta de que yo era más inocente de lo que pensaba y tuve miedo de lo que la vida me pudiera traer, de que me engañaran.

Me tocó estar solo en el asiento de terciopelo verde, mas no en el compartimiento. Frente a mí una señorita ya un poco jamona leía *El Ilustrado,* y al lado suyo un caballero de traje azul oscuro y bigote estrecho, cuidadosamente recortado, cerraba los ojos, no sé si durmiendo, dormitando o de plano clausurándose para que no lo molestaran. A nuestro lado corría locamente el paisaje, cambiaba de atuendo como una bailarina del vodevil; se ponía verde, amarillo, a ratos se floreaba causándome una gran emoción, porque yo nunca había viajado tan lejos, y nunca había visto campos de flores, o de trigo o de maíz, como los que ahora pasaban frente a mis ojos como en un sueño. El viaje de San Gil a Tonalato fue de noche, y estuvo tan lleno de expectativas, delirios y fantasías estrambóticas, que sólo pude sentir una especie de vibración, de corriente eléctrica en todo mi cuerpo; estaba entonces tan abstraído en mis emociones que no vi absolutamente nada. En cambio ahora me sentía melancólico, amodorrado, no sabía por qué, pero hubiera querido llorar, y eso que por fin se me cumplía el sueño que desde chico me acosaba, el de conocer la gran capital. De hecho, ese sueño había habitado todo el tiempo mis expectativas al escribir a Mauro y viajar a Tonalato, pero no así, no como si fuera parte de una expulsión. ¿Extrañaría a mi primo? Era probable que fuera eso, y también era tal el descanso que sentía de todos esos ataques de admiración que en las tardes me venían torturando, que me di cuenta de que estaba absolutamente exhausto: aquella corta experiencia en Tonalato se había quedado impresa en mi alma como la marca de agua en una página en blanco. Era yo nada o sólo aquella píldora tan fuerte y a la vez incomprensible.

A tal grado había llegado mi ofuscación, que ni siquiera había pensado en avisarle a mi madre del cambio repentino que sacudía mi vida. Saqué inmediatamente papel y pluma del portafolios, disponiéndome a escribir en la cómoda mesita junto a la ventana —que se bajaba por medio de una bisagra— una larga misiva explicándole a mamá la situación.

Querida mamá:
Pensarás que soy un mal hijo, porque no te avisé que esto iba a ocurrir, pero ya me ves ahora camino a la capital sin más equipaje que las mismas ropas con que llegué a Tonalato y un encargo de suma importan-

cia por parte de mi primo para una empresa grande, la Dickson Coloured Pencils, de la que seguramente habrás escuchado hablar en alguna ocasión.

Después tenía que explicar por qué todo había sido tan precipitado:

No te pude avisar antes de mi partida, porque se decidió prácticamente ayer. Yo mismo estoy sorprendido de encontrarme aquí a medio campo, sentado en un tren. Sabes bien que nunca había subido a uno, y creo que tú tampoco. Los trenes son muy impresionantes, largos y bonitos. Éste en el que viajo está pintado de azul y ruge endemoniadamente por dondequiera que pasa. El camino es muy largo, y espero que bajemos en alguna estación a estirar las piernas. Desde ahí te mandaré la carta, en el primer buzón que vea. Si no, habré de enviártela llegando a la capital, qué remedio.

Había logrado salvar el escollo; me felicité por la forma elegante en que había eludido cualquier explicación que, por otro lado, yo mismo no me podía dar claramente. Pensé que me serviría ir contándole a mamá las cosas que viera en el camino, así que de momento doblé la carta y la guardé, esperando que al mirar el paisaje surgieran imágenes de interés que le pudiera relatar. Ahora pasábamos cerca de un rancho; una vaca movía la cola perezosamente; una señora les daba de comer a unas gallinas y unos campesinos cargaban cajas de jitomate hacia un camión. Frente a mí la señorita de *El Ilustrado* dormitaba: llevaba un traje sastre lila bastante arrugado ya, de un par de horas de camino, y los labios se le habían despintado un poco: en mi vida había visto pocas mujeres pintadas de cerca, de manera que, protegido por las rejas de su inconsciencia, la pude estudiar como a un animal de zoológico. Me regodeé a mi gusto en las sombras ojeriles que rodeaban sus ojos, el cutis liso, laqueado, y la pintura de bilet casi púrpura en forma de corazón que yo sólo había visto en las revistas. Roncaba un poco, y al hacerlo su busto subía y bajaba con alguna agitación, dejando ver, al subir, la separación de los pechos en el escote, cosa que me tenía algo petrificado, con los ojos muy abiertos frente a esa respiración portentosa y los globos que emergían entre el leve encaje de la blusa. Paradójicamente, tanta inquietud me tranquilizó, me dije:

—Artemio, fíjate bien que te gusta, eres todo un hombre.

Y respiré con cierto alivio. El movimiento de los pechos no parecía interesar sin embargo al hombre que se encontraba junto a ella, oculto tras un periódico cuyo titular —que alcancé a leer de cabeza, pues estaba doblado hacia mí— decía: «Terrible odisea de unos niños huérfanos». En ese momento, el caballero dobló el periódico hacia atrás. Hubiera querido ver un poco más, pero, al no poder continuar leyendo, viré la vista hacia las piernas de la mujer; traía unos zapatos de gamuza negra y tacón, con un moño, que no sé por qué me parecieron de una gran distinción, pero los pechos, los pechos que subían y bajaban, que en cualquier momento, quizá, surgirían a la luz para satisfacer la más vil de mis curiosidades, la que a cualquier hombre martiriza desde niño y cuya satisfacción plena me había sido negada por mi poca experiencia y mermado bolsillo. Recordaba haberle tocado las tetas a Lily o a Kathy Pussicat en el tráiler alguna vez, pero la que fuera de ellas me quitó la mano y me ordenó que terminara pronto mis ocupaciones. Y mientras mi mente vagaba hacia aquellos lares con la mirada fija en los pechos que subían y bajaban, su dueña despertó. Clavó su mirada en mi frente como un cuchillo y yo me sentí el más imbécil de los hombres. Volteé a verla a los ojos, le sonreí, pero fue peor; no debí haberlo hecho. Ella me miró más enojada aún. Traté de evadir la situación como mejor pude, me calé hasta los ojos la visera del Stetson como si me dispusiera a dormir y alcancé a leer en el periódico: «Trágico naufragio y esperanzas perdidas». Me avergonzaba mucho empeñarme en leer un periódico ajeno, pero con las prisas había olvidado la atribulada historia de Dorian Gray que pensaba pedir prestada a mi primo. El caballero levantó su periódico y lo guardó en el bolsillo de su chaqueta. Miré hacia la puerta intentando disimular, hacer creer que deseaba otra cosa. Luego, ese movimiento me llevó a otro; finalmente tuve que levantarme, salir al pasillo y asomarme a la ventana, donde contuve una lágrima de orfandad. No atinaba a entender por qué no podía abrir la boca y pedir cortésmente a ese señor una disculpa, o en su defecto el periódico prestado, como las personas decentes, pero era yo demasiado consciente de que estaba en un mundo al que no pertenecía —la primera clase de un tren, elegante y mullida como la casa de mi primo—, y eso, y la pena, y el miedo al futuro, me habían paralizado. De cualquier modo algo me tranquilizó: la admiración por mi primo no había eclipsado mi atracción por las mujeres, cosa que me tenía en el fondo, dadas las circunstancias, bastante preocupado. Me fui a sentar de nuevo, más repuesto.

Poco después llamó un guardia para avisarnos que íbamos a parar en Irapuato; que estaríamos ahí cosa de dos horas para comer y después continuaríamos el viaje. El caballero y la señorita se miraron y se sonrieron cortésmente.

—Nos vendrá bien un piscolabis —comentó el caballero, que tenía la voz chillante—. Estos viajes largos son muy cansados.

Yo aproveché para presentarme, como quien salta un precipicio:

—Mi nombre es Artemio González —les dije con muchas prisas—, y si me han visto nervioso y raro les ruego me disculpen: soy provinciano y nunca he viajado a la capital.

—No se preocupe usted —respondió el señor del piscolabis.

Entonces por fin los tres nos presentamos como debía ser, no como lo haría Mauro, con mundo, estilo alguno ni conversación, sino con mucha torpeza, pues hasta para darnos las manos nos pegamos en la rodilla, pero finalmente logramos hacer más agradable el viaje. El señor se llamaba Esteban Martínez Limón y recorría la república asegurándose clientes para la fábrica de corchos La Esmeralda, con sede en Toluca. Al decirle que iba a representar a mi primo ante la Dickson Coloured Pencils, me pareció que me tomaba algo de confianza. Pertenecíamos ambos, pues, al mundo del comercio, y eso le hizo empezar a contar anécdotas de agentes viajeros y a hacer chistes un poco pícaros que para mi gusto estuvieron mal, pues la señorita frente a nosotros empezó a enrojecer y a incomodarse con toda razón. Su nombre era Alejandra Ledesma y venía de Guanajuato. A la hora de las presentaciones no nos dijo su oficio porque no se lo preguntamos, cosa corriente en un mundo varonil, en el que una señorita viajando sola, si acaso tendría un oficio, sería éste de lo más sospechoso. De cualquier manera me pareció mal que Martínez Limón se portara tan corriente, de modo que para desviar la conversación pregunté a la señorita Ledesma el motivo de su viaje.

—Vengo de regreso de una gira artística por el norte.

—¿Con que es usted artista? —preguntó Limón, acercándosele de más y empleando un tono pesado para mi gusto. Entonces ella respondió:

—No. Artista no, señor: soy pianista.

Quedamos ambos pasmados de admiración. Sus pechos, desde aquel instante, quedaron cubiertos como por arte de magia con un velo de virginidad. Yo me inundé de vergüenza y Martínez Limón sólo atinó a murmurar:

—Qué interesante.

En aquel momento, el tren se detuvo en Irapuato.

Cuando nos disponíamos a bajar para estirar las piernas y dirigirnos al comedor ya preparado para los viajeros, Martínez Limón se entretuvo en el vagón buscando a saber qué cosa en su equipaje, de modo que la señorita Ledesma y yo nos adelantamos. Comenzaba a sentir por ella una admiración incontrolable, algo que me había hecho ya casi olvidar a Mauro, y a la vez me lo recordaba al verme repitiendo otra vez el ánimo rastrero y de poca cosa que ya parecía ser en mí una constante. Aquel pensamiento vigilante me ayudó a sobreponerme. Le aparté la silla, le recomendé el pollo placero del menú, le hice ver que una de las maravillas de Irapuato eran sus fresas, cosa que todo el mundo sabía y por alguna razón ella no —quizá porque vivía en un mundo superior—, y ya que estábamos tomando el caldo me animé a preguntarle dónde daría sus conciertos, dónde había estudiado, como si yo fuera un reportero y ella una estrella de cine. Con mucha amabilidad me informó que había estudiado en el conservatorio, que próximamente daría unos conciertos en el palacio de las Bellas Artes y en el Ateneo Juvenil, en los que interpretaría unas piezas de Brahms, Beethoven y Debussy. Ella era tímida, en general contestaba muy escuetamente, hablaba poco y solía no mirar a los ojos. Sin embargo, en un momento muy corto en que los levantó, yo pude ver que los suyos eran verdes, preciosos, como de gato; hasta me dije a mí mismo que los ojos de la señorita Ledesma me estaban provocando una atracción irresistible, aunque no fuera del todo cierto —más bien pensaba en el magnetismo de los de mi primo—, y entonces quedé muy preocupado: ¿qué clase de futuro tendría?, ¿qué me deparaba la gran ciudad?

Hice partícipe de estas inquietudes a la señorita Ledesma, que me pareció muy sabia al decirme:

—No se preocupe, Artemio, es usted muy joven y luego el destino es más generoso de lo que uno supone.

En ese momento llegó a la mesa Martínez Limón, muy animado. Hablamos del clima de la capital y de la noticia que yo había tratado de atisbar en su periódico. Al parecer, habían rescatado a unos náufragos de una isla en el Pacífico.

—Qué interesante —exclamó la señorita Ledesma—, me pregunto cómo fueron a parar ahí.

—Era un pequeño destacamento que cuidaba la isla por ser territorio mexicano. Los soldados vivían ahí con sus familias, y al estallar la revolución se olvidaron de ellos. El capitán era tan terco, que se negó a que los americanos lo rescataran, hasta que él mismo se murió.

Martínez Limón contó esto como si fuera un chiste; al ver el semblante horrorizado de la señorita Ledesma, añadió ofuscado:

—Las mujeres se salvaron después.

Yo señalé cuán contradictoria era la vida, pues en ese tiempo aquel capitán había rechazado la ayuda americana, y ahora mismo iba yo a colaborar con una compañía de aquella nacionalidad.

—Usted no podría imaginarse en su lugar —gruñó Martínez Limón—; la gente del ejército está hecha de otra madera.

Fue como si me dijera una humillación velada, pero seguí comiendo mi flan. No iba a tentar la generosidad del destino peleándome con este sujeto, pues me di cuenta de que él ahora tenía la intención de conquistar a la señorita Ledesma. Era de esas personas que se divierten ofendiendo al que pueden, y habiéndose dado cuenta de que la señorita Ledesma no sólo era una persona honorable, sino superior, decidió tomarla conmigo para ser encantador con ella. Empezó a hablar de música clásica como un verdadero entendido, y a partir de entonces la conversación se convirtió en una retahíla de nombres y tarareos que siguió infinitamente cuando volvimos a subir al tren, mientras me fumé un cigarro en el pasillo contemplando el paisaje que ahora me mostraba su faceta más agreste, en lo que intentaba concluir la carta a mi madre, y aún durante un sueño más profundo que emprendí para huir de la realidad; casi hasta que llegamos a la ciudad de México, escuché los nombres de Poulenc, Haydn, Chopin, Chaikovski, Mozart y no sé cuántos más, entre las risas de la señorita Ledesma que mostraba de manera creciente su faceta más campechana con Martínez Limón.

Llegamos de noche a la estación de Buenavista. Apenas desperté cuando el tren se detenía en el andén y por lo mismo no vi la ciudad al entrar. Nunca podrían imaginar en San Gil algo parecido a la estación de Buenavista en la capital: el hormiguerío de gente de toda la república, la cantidad de abrigos, sombreros, mantas de viaje que en el pueblo sólo conocíamos de las revistas, el recinto enorme, los campesinos que llevaban y traían pollos, gallinas y guajolotes del rancho a la capital... Esta primera visión de la diversidad del mundo capitalino me pareció abrumadora. La señorita Ledesma y Martínez Limón tomaron sus maletas de la rejilla abruptamente. En medio de la confusión, apenas atiné a despedirme de ellos y prometerle a la señorita Ledesma que acudiría al concierto que dentro de cuatro días iba a dar en el palacio de las Bellas Artes, recién inaugurado. Eran mis primeros pasos hacia una escueta pero fina actividad social. Después me pareció ver por la ventana que los dos caminaban demasiado rápido por la estación y que de alguna manera Martínez Limón perseguía a la señorita Ledesma, pero no podría asegurarlo. De repente, Martínez Limón tropezó con el carrito de un maletero y ella se perdió en medio del gentío.

Bajé al andén de lo más amodorrado, mitad por el sueño, mitad porque ahora estaba solo en medio de la estación gigantesca, invadido de gente por la Semana Santa que comenzaba: parecía que media capital se iba a algún balneario, o a visitar familiares a la provincia; la otra mitad venía en sentido opuesto, imantada por la devoción. Las multitudes concurrían en una especie de choque gigantesco, y éramos pocos los que lográbamos salir solos, sesgados, de la estación.

Conseguí un carro de alquiler y crucé en él un buen trecho de campo. Después, poco a poco, nos fuimos introduciendo por el norte a la capital, a la famosa ciudad de los monumentos. Entre construcciones regulares y palacios coloniales llegamos por fin al zócalo inmenso, como era inmensa su catedral, con su atrio barroco y sus numerosos retablos llenos de dorados según me dijo el taxista. No lejos de ahí quedaba el hotel Gillow, adonde Mauro había cablegrafiado para apartar una suite completa, amplia, cómoda. Era toda ella de techos muy altos con adornos de estuco y alfombras multicolores en el piso. Consistía en una habitación para dormir, con una cama ancha y mullida, un baño completo con tina y un salón donde había un escritorio, una mesa grande y algunos sofás de buen tamaño, tapizados con modernos rombos. Era todo tan grande que pensé en llamar a mi madre a que viniera; yo podría dormir tranquilamente en cualquiera de ellos, flaco como soy, y dejarle la habitación para que estuviera cómoda. Desempaqué mis tres trajes y me dispuse a dormir, pues estaba muy cansado, pero no podía. Miraba por la ventana y quería que amaneciera ya para admirar la ciudad, perderme en sus calles, ver todos los escaparates, probarlo todo; sin embargo, al día siguiente debía buscar al señor Willie Fernández en la Dickson Coloured Pencils, que se encontraba en las calles de Palma y Pachuca. En medio de la noche pensé que Dios diría si mi nuevo trabajo iba a ser una bendición o una especie de castigo. Luego recordé que no había mandado la carta a mi madre. La terminé apresuradamente, explicándole que ya había llegado a la capital, y la guardé en un sobre del hotel. Cuando mamá viera el escudo junto a los timbres, se sorprendería, y algo me dijo que agradablemente, pues era de verdad muy bonito y adornaba el sobre en tinta sepia. Me quedé mirando las cortinas a rayas azules, de una tela brillante y pesada, que ocultaban las luces de la ciudad, y después decidí acostarme, entregado a lo que el día siguiente me fuera a traer.

Efectivamente, no lejos del hotel se encontraba la representación comercial de la Dickson Coloured Pencils, pues la fábrica se había establecido en las afueras de la ciudad. Bajé, pues, de mi habitación un poco asustado, a enfrentarme con una nueva vida y con una nueva dimensión de las cosas: el zócalo inmenso, las construcciones, todo me llamaba a huir de ahí o a echar a correr como un animal joven para poder abarcar aquel espacio infinito. Desayuné rápidamente en el restaurant del hotel y telefoneé a Willie Fernández desde el *lobby*.

—Willie Fernández al aparato —contestó una voz bastante varonil. Así de buenas a primeras me imaginé un hombre de cuarenta años, pelo entrecano sobre todo en las patillas, entradas, bigotillo corto y traje azul marino, un poco más alto que yo. Me citó en quince minutos ahí en Palma y Pachuca, aclarándome que ya había hablado con mi primo Mauro; en ese instante sentí miedo de que hubieran hecho algún arreglo extraño a mis espaldas. Es curioso, pero pasado el viaje en el tren, el sueño y el afán por avisar a mi madre del nuevo giro que mi vida tomaba, me quedó en el fondo decantada una sospecha, pues, ¿cómo no se me había ocurrido que mi primo quizá me utilizara para algo que no estuviera bien? Luego pensé que no, que ni siquiera podía imaginar materialmente un negocio sucio, que me faltaban imágenes de la maldad porque a San Gil llegaban pocos periódicos, y que si acaso había leído detalles macabros en las novelas, mi falta de conocimiento de la literatura contemporánea me dejaba en blanco los crímenes de nuestro tiempo, como no fuera esa historia rara de los náufragos que había medio contado Martínez Limón.

Pensando en esas cosas llegué al edificio de la Dickson, del estilo más moderno que hubiera visto jamás: el zaguán con su portal en forma de fuelle, los mármoles blancos y negros, las lámparas rodeadas de curiosas estructuras metálicas, el elevador, todo me hizo sentir que penetraba otra dimensión. A tal grado estaba yo como visitando un mundo nuevo, que no reconocí a Willie Fernández. Por su voz me había hecho de él una idea de lo más concreta, la de un cuarentón fornido semejante a Fernando Soler, y ahora me encontré frente a un tipo más chaparro que yo, gordito y calvo, que ciertamente me desilusionó, con un traje marrón a rayas blancas. ¿Cómo podía trabajar alguien así para mi primo? Recordaba al doctor Lizárraga, a los ingenieros y arquitectos de la oficina allá en Tonalato: todos eran altos, jóvenes, delgados, podría decirse que guapos. Ya nada que se relacionara con Mauro podía bajar a mis ojos de este nivel. Ciertamente había yo cambiado a otra escala de cosas más grande, pero a la vez a una escala de valores más pequeña. De modo que sin imaginar que se trataba de él, le pedí al propio Willie Fernández, que estaba parado afuera de su oficina por lo visto esperándome, que me anunciara con su jefe. Ésa fue una primera humillación que le infligí, y quién sabe cómo me la perdonó después.

—Aquí mismo lo tiene —me respondió. Y yo todavía me tardé un instante en darle la mano y decirle mi nombre. Pude notar una profunda molestia en la manera en que paró la trompa al invitarme a pasar, y el modo pensativo en que miraba al suelo en lo que me señaló una silla frente a su escritorio amplio, de gruesa caoba rojiza, y abrió los transparentes de las ventanas. Afuera sólo se alcanzaba a ver un cubo de servicio bastante oscuro, repleto de ventanas como ésa con sus transparentes y persianas, miles de Willies Fernández detrás de ellas y miles de pueblerinos flacuchos como yo. Inicié un carraspeo para decir cualquier cosa, pues verá, mi nombre, quisiera ponerme de acuerdo o lo que fuera, pero Willie Fernández me espetó:

—Usted se cree muy salsa porque lo manda su primo, pero a mí no me va a quitar el trabajo por más que me humille.

Entonces ya no supe qué decir; me había acostumbrado a que me trataran con el mayor desprecio en la fábrica de papel en San Gil; me parecía de lo más lógico que en las oficinas de mi primo me consideraran poco menos que inexistente, y que el propio Mauro me viera como a un sinónimo del más brutal fastidio. Pues ahora resultaba que para este hombre chaparro y regordete yo era una amenaza. Lo miré con tal interés que pensó que me había ofendido.

—Entendámonos —aclaró replegándose un poco—: lo que no quiero es que se confunda mi área de trabajo con la suya.

—¿Cuál es su área de trabajo? —le pregunté.

—A mí me paga la Dickson para manejar las cuentas de los inversionistas, entre ellas la de su primo, e informarlos de las fluctuaciones en el mercado —dijo dándose mucha importancia—. Y ahora resulta que a usted le pagarán para hacer lo mismo.

El pobre temía entonces que yo lo suplantara; nada más lejos de mí que quitarle el trabajo a Willie Fernández o a cualquier otro, aunque debo confesar que sentí algo de alegría: llegaba a la ciudad, ocupaba una suite muy elegante, e ipso facto pasaba a fastidiar a un semejante. La verdad no estaba nada mal, pero preferí ser, como siempre, bueno.

—No se preocupe —le respondí—, a usted le paga la Dickson y a mí me paga mi primo, así que no hay problema. Lo sería si tuviéramos el mismo patrón, pero cada quien le rinde cuentas a una persona diferente, ¿ve?

Willie Fernández se me quedó mirando pasmado; las cejas se le fueron levantando lentamente.

—¿De verdad?

—Lo último que quiero en el mundo —le declaré, no con sinceridad, pero ciertamente con ganas de salir de aquella situación—, es enemistarme con usted innecesariamente; si hace falta que digamos que hacemos cosas distintas, con mucho gusto me encuentro a su disposición.

—Caramba —exclamó.

Yo mismo quedé tan impresionado de lo que había dicho que me abstraje: ¿sería que Willie Fernández no me imponía tanto como aquellos hombres altos y bien parecidos del norte que me había acostumbrado yo a tratar? Pensar esto me dolió.

—Bien, don Artemio —me dijo el sujeto muy contento, sacudiéndose del hombro una arañita que se le había trepado—, de modo que todo está claro. El próximo jueves nos veremos aquí y yo le rendiré el informe para que usted se lo rinda a su vez a su primo.

—Perfectamente, y encantado.

—El que está encantado soy yo —me respondió. Entonces hizo como que se le prendía el foco, y añadió:

—¿Conoce usted la ciudad?, ¿desea que lo oriente, que le aconseje sobre los lugares que vale la pena visitar?

Le agradecí y le dije que por el momento no: quería tontear a mi gusto, vagar por la calle y experimentar esta libertad renovada, este anonimato súbito que me llenaba de expectativas y de ilusión.

III

Para el jueves había dado yo muchísimas vueltas por la ciudad y estaba encantado. El centro estaba lleno de militares porque el general Caso había trasladado su residencia al palacio Nacional y por lo visto salía y entraba mucho, era un hombre muy ocupado. Había logrado apaciguar al país después de tantos levantamientos, insurrecciones y polvorines, expulsando al tiránico general Urbadán del país, y la gente por eso mismo lo quería, o más bien le tenía respeto. Prometía progreso para todos; a cada rato salían en los periódicos las empresas que ayudaba a echar a andar, los sindicatos que lo apoyaban, los grupos de señoras que le ofrecían un brindis, un coctel o un desayuno. Y aunque era bonito los primeros días ver entrar y salir a la comitiva presidencial por todo Madero con sus soldados perfectamente uniformados y los secretarios de estado de traje azul y con la cartera bajo el brazo rodeando al general, que no escatimaba los saludos a los transeúntes, al rato sí paraba todo el tránsito y entre las multitudes rezagadas, los autos pitando, los caballos, e incluso alguno que otro tranvía de mulitas que quién sabe por qué el ayuntamiento permitía aún circular, no se podía ni caminar. Había callejuelas sumamente estrechas llenas de talabarterías, de vendedores de helados que cargaban sus cubetas de madera en todas las esquinas, un montonal de fondas, calles para todo: para el papel, para las telas, para los cacharros de metal, de pasta o de barro, para los sastres y modistas. Pero también había joyerías elegantes, restaurantes finos, librerías y cafés. Antes de ponerme a buscar alojamiento fijo —como Mauro me había indicado que hiciera— caminé obsesivamente por las calles de la ciudad, tomé mucho café y leí como desesperado todo lo que encontraba, fueran periódicos o libros que yo mismo adquiría. Con lo que me había dado mi primo me alcanzaba para todo perfectamente, al grado de que me entró por la vanidad y me mandé hacer dos trajes: uno café, para el día, y uno negro para las cosas más formales. Pretendía yo que fuera de colas, porque temí que no me dejaran entrar al palacio de las Bellas Artes el día del concierto de Alejandra Ledesma, que no había olvidado, sin éste, y sin chistera, pero el propio sastre de la calle de Cocoteros me dijo que no, que no fuera yo exagerado, que ya no se usaba. Me aconsejó que en todo caso me mandara hacer un smoking cruzado, de los que ahora venían mucho. Después busqué todos los aditamentos correspondientes: camisas, gemelos, corbatas y calcetines con sus respectivos tirantes, además de la indispensable ropa interior. Me sentí esos días como en una especie de sueño, como Julien Sorel en *El rojo y el negro,* porque cambiaba de clase social de una manera vertiginosa. Ahora, sin la presencia física de mi primo —porque su presencia espiritual lo permeaba todo, como una especie de causa primera de todas las cosas— encontré que la libertad me volvía caprichoso: sin guía, sin nadie que me enseñara qué hacer, cómo vestirme, qué labores emprender, vagaba por la ciudad y me dedicaba a observar a la gente, sus trajes y sus costumbres. Mi gusto por la lectura me llevó también a buscar el cobijo de la Biblioteca Nacional, o quizá era que su ancha piedra me recordaba tanto al frescor antiguo y provinciano de Tonalato, donde había vivido tanta intensidad que ahora se diluía en esta ciudad inmensa. Porque sí pasaba yo un par de horas leyendo los periódicos, las revistas que encontraba en los anaqueles medio podridos, o lo que el bibliotecario estuviera en humor de darme también, pero al salir me complacía en recordar mis llantos bajo las arcadas, y de no ser porque pasaba por ahí tanta gente, los hubiera repetido con fruición. De lo que me di cuenta es que siempre añoraba yo un llanto pretérito, el del camino a San Gil, el del archivo municipal de Tonalato, y esas rachas de intensidad que eran parte de mí y que yo no entendía, daban a mi vida todo su sentido, porque por lo demás, estaba yo absolutamente perdido, como si tuviera la cabeza llena de aire y nada me interesara profundamente.

Por esos días me dio también por leer *La dama de las camelias,* de modo que regresaba a mi habitación en el Gillow presa de los más profundos sufrimientos; luego imaginaba que a Mauro lo pescaba una de esas mujeres llenas de encantos y de enfermedades contagiosas y me entraba mucha preocupación. Los hombres ricos como él siempre han estado expuestos a esa clase de cosas, pensaba, y me venía a la mente que el doctor Lizárraga lo impediría; después consideraba que sería preferible que Mauro se casara como todas las demás personas. El caso es que de repente me encontraba perfectamente confundido, hijo de las más absurdas elucubraciones, dibujando gatos con mi nueva pluma Stillman en el café de París. Quizá alguien me miraba, quizá alguien se interesaba por mí, pero yo me perdía, me abstraía tanto que jamás pude saberlo, pues me faltaba la fuerza para levantar el rostro, encontrar alguna mirada y corresponder a ella. Fueron aquellos cinco días inolvidables, y el jueves me sentía muy transformado.

Primero fui a ver a Willie Fernández, como habíamos quedado: el hombre me esperaba en su oficina, como la semana anterior, un poco acalorado y con el ventilador prendido a toda mecha. Bajo su molesto zumbido me saludó y extrajo de su escritorio un cuaderno de contabilidad: ahí, en columnas perfectamente delimitadas, estaba marcada tanta producción, tantas ventas, tanto dinero y porcentajes. Al final se deducía la ganancia correspondiente a mi primo a partir de sus acciones, y eso era todo. Willie Fernández había elaborado una copia de todos esos datos para que se la enviara yo a mi primo y me la entregó muy formalmente con un cheque, que debía yo girar a Mauro. Terminada la transacción, muy amable me preguntó sobre mi estancia en la ciudad, qué había hecho, por dónde había paseado, elogiando mi nuevo atuendo y aspecto general.

—Se ve que se ha alimentado bien estos días, don Artemio, lo veo muy repuesto.

Sería porque la soledad ya me empezaba a pegar, que acepté salir a tomar un aperitivo con él al San Francisco Club, que estaba por el monumento al Héroe Bruñido, un poco lejos, pero en coche a diez minutos. Willie Fernández manejaba con apostura un Chevrolet verde oscuro de los chicos, que no era de los más elegantes, pero no estaba nada mal. En el camino le expliqué que nunca había manejado un coche y se ofreció a darme clase los fines de semana, si me animaba a adquirir uno. De entrada acepté. Al rato ya estaba yo en un bar decorado con cortinas rojas y flecos brillantes —que quizá era rascuache, eso no podría saberlo yo hasta no tener punto de comparación, pues los bares de Tonalato eran más o menos así, con unos adornos chinos—, haciéndome muy amigo de Willie, dejando a un lado mis temores, contándole que aquella noche iría a las Bellas Artes a escuchar el concierto de Alejandra Ledesma.

—¿Querrá usted decir Mumú Ledesma?

—¿Cómo que Mumú? —le contesté.

—Así le llaman sus amigas —dijo Willie.

Después me explicó que entre la sociedad artística y bohemia de la capital ése era el apodo más socorrido de la señorita Ledesma, al grado de que en la sección de sociales aparecía con él. Yo recordé que en el anuncio de *El Universal* sí decía Alejandra. Qué cosa más extraña, pensé, que un sujeto como Willie Fernández se codeara con los artistas, los verdaderos artistas, no las cabareteras y aquella otra fauna tan mediocre, cosa que hubiera sido más de esperarse dado su aspecto graso y su atractivo tan ligero a simple vista. Y se lo hice saber tratando de no herir sus sentimientos, diciéndole por ejemplo que era muy notable que alguien como él, tan embebido en el mundo del comercio, tuviese el tiempo y la disposición de acercarse a las artes.

—Querrás decir bebido, Artemio —me respondió Willie, ya un poco achispado por los bastantes old fashioneds que nos habíamos tomado.

Luego soltó una gran carcajada y yo también. Al rato estábamos abrazados, riendo a mandíbula batiente, y he de admitir que al dar rienda suelta a aquella alegría aprovechaba yo para darla también a mi tristeza, aunque no se me notara, así como a la emoción de empezar a contar con un verdadero amigo, con un camarada frente al que quizá podría actuar de manera espontánea, sin tanto miedo ni formalidades.

Retomando la conversación saqué con orgullo el boleto que había comprado para la platea; otra vez Willie empezó a reír con alegría sin igual. Me arrebató el boleto, lo rompió en muchos pedacitos, los echó en el cenicero que tenía dibujada una botella de Sidral Mundet y una manzana, y los incendió con su encendedor de plata. En medio del horror que me invadió de ver ardiendo el boleto que tanto esfuerzo me había costado adquirir, pues había hecho una hora de cola en el vestíbulo del teatro, me llamó mucho la atención que Willie Fernández portara un gran anillo de rubí junto a su arra de casado. De cualquier manera no pude proferir una sola palabra mientras él se me quedaba mirando de manera retadora. Después puso su mano sobre mi hombro y me dijo:

—Ya no necesitas tu boleto, camarada: yo tengo un palco junto al escenario, para que le mires lo que quieras a Mumú Ledesma.

Este Willie Fernández era una tromba, casi me había dado un ataque al corazón y ahora resultaba que gracias a él escucharía el concierto desde un lugar privilegiado. Aunque en ese momento acudió a mi memoria el seno de la señorita Ledesma cubierto con su blusa virginal, no logré añorarlo, ni enojarme con mi amigo que sin darse cuenta los había manchado.

Salimos del San Francisco Club bastante ebrios, debiéndonos detener uno del otro con mucha dificultad. Willie insistía en llevarme al hotel manejando; no sé cómo logré mantener la firmeza y tomar un taxi que nos condujo a los dos a mi suite del Gillow casi sin decir palabra de lo borrachos que nos habíamos puesto. Tuve que empujar a Willie al sillón para que se durmiera. Luego me dormí yo en mi cama un rato. Desperté al escuchar su voz en el teléfono, diciendo sí, vieja, sí, chatita, no te preocupes, llegaré muy tarde a cenar, no me esperen. Luego paró la trompa, un gesto que en él era muy característico, y le mandó un beso muy sonoro. Colgó el teléfono, musitó «jajai», y se quedó ahí sentado.

—¿Qué crees, hermano?, mi vieja me va a mandar el smoking. Así ya nos arreglamos y nos vamos.

Por más que lo quisiera, me costaba mucho trabajo enfrentar la confianza con la que me trataba este hombre; lo que quiero decir es que Mauro, con todo, me hacía sentir más cómodo al señalarme, en su trato quizá excesivamente cortés y lleno de recovecos, una distancia que me mantenía en mi lugar. A fin de cuentas yo podía lamentarme todo lo que quisiera, pero el hecho era que no tenía que hacer ningún movimiento para acercarme a Mauro, porque de hacerlo me hubiera quemado como la polilla en el fuego, por decirlo así. En cambio este Willie me jalaba y me jalaba, y yo me preguntaba adónde podía parar esta confianza, además de que tenía la expectativa de conocer, mediante la señorita Ledesma, a una sociedad más formal, porque para emborracharse ya conocía yo a algunos sujetos de San Gil a los que acudía muy de vez en cuando para cantar el corrido del caballo blanco en la cantina, sin que eso tuviera mayor chiste. De cualquier manera, y dado lo que decía Willie, se ve que él tenía acceso a una sociedad más alta, la que llamaba Mumú a Alejandra Ledesma, cosa que yo jamás me hubiera animado a hacer. Por pura curiosidad le pregunté por qué no venía su esposa al concierto, pues al ver el anillo y que le hablaba por teléfono me pareció que hubiera sido lo correcto, pero Willie puso cara de mustio:

—¿Y quién se queda con mis cinco hijos?

Dobló la boca hacia abajo como un payaso triste. Luego soltó una carcajadota. Tras un rato de espera, que matamos tomando café y fumando un puro para terminar de despabilarnos, llegó el botones con el smoking de Willie.

—Hoy es mi día libre, vamos a echar relajo —exclamó éste mientras le abría la puerta.

Después procedimos a asearnos y vestirnos casi con confianza de hermanos; le presté mi rasuradora y mi colonia. Él mandó traer pomada y al rato quedamos ya muy formales, con traje de fiesta y el pelo muy bien pegado a la cabeza con la gomina de Willie. Nunca en mi vida me había vestido así, me miraba al espejo y consideraba que ése no era yo, casi me hubiera gustado tomarme una foto y enviársela a mamá para que viera que ahora sí iba ascendiendo en la escala social y se sintiera orgullosa. También hubiera querido que Mauro me viera; quizá me hubiera tratado al tú por tú, como al doctor Lizárraga. Y luego no sé por qué agradecí al cielo que Willie Fernández fuera tan condenadamente feo, y que el smoking y la brillantina no le ayudaran a mejorar ni un centímetro.

—Vámonos, compadre —le dije, siempre hecho bolas.

¿Cómo subir esas escaleras marmóreas con naturalidad, sin tropezarse, sin caerse, sin quedar hecho un guiñapo a la mitad? Sin embargo ahí iba yo, con mi nuevo smoking y el pelo brillantísimo. Ya había visto el palacio el día en que fui a comprar el boleto, y justamente había luchado por acostumbrarme a las lámparas con herrajes, a los escalerones de mármol, a las cúpulas, de modo que no me arrodillara el día del concierto, transido de emociones religiosas. Pero jamás había imaginado este recinto brillante, una noche de estreno, con las arañas encendidas, habitado de gente que resplandecía. ¿Serían todas estas señoras de largo, estos hombres pulcros, esta multitud fragante, lo mejor de lo mejor de la capital? Por una parte eran mucho más deformes que los habitantes de Tonalato; había una mayor proporción de chaparros, un sinfín de gordos y muchas güeras pintadas, pero, ¿cómo decirlo? Tenían más *chic;* se veían más leídos, con más gracia, o por lo menos eso quise ver. Como provinciano me sentía obligado a encontrar aquello que daba más *cachet* a los capitalinos, aquello que nos hacía sentir tan mal en la provincia y sobre todo en los pueblos chicos, aunque por otro lado nunca había visto que a Mauro lo hiciera sentir mal nada. Con todo, pensé que éste era un peldaño más cercano a París, a Nueva York, al verdadero centro de las cosas que aparecían en las revistas y en los periódicos, y respiré hondo antes de que Willie me comenzara a presentar con un montón de gente.

—Este caballero viene de Tonalato, y no te imaginas quién es su padrino —les decía. Luego mencionaba a Mauro y la gente decía ¡ahhh!, o bien me saludaba con infinita cortesía. De repente se paró junto a un señor canoso:

—Artemio, permíteme presentarte a don Alfonso Baz, el secretario de Agricultura que ahora mismo está descuidando sus deberes por venir a un concierto.

Luego los dos comenzaron a retorcerse de la risa.

—No hombre, cómo crees, es el señor Lucho Mandinga, mi hermano de Veracruz, representante de la Hollywood Paintings.

—Mucho gusto, encantado —decía yo a todo el mundo, tratando de no parecer demasiado falto de mundo, torpe y tembleque al dar la mano o inclinarme con cortesía, o bien de besar a las señoras que me ofrecían su mano como las reinas de Inglaterra sin babearles el guante.

La cruda empezaba a pegarme de a tiro fuerte. Le pedí a Willie que me llevara al bar, donde tratamos de equilibrarnos con unos whiskies. Ahí fue, bajo la fuerte luz de las lámparas alargadas, entre los reflejos multicolores de las botellas y los sifones, donde vi a Blanca por primera vez. Blanca: así la llamó mi calenturienta imaginación. No tardaría en averiguar su nombre verdadero, y aun así para mi interior fue siempre Blanca. Se encontraba entre un grupo de personas que se veían de alcurnia, grandes, bien plantadas: dos caballeros de canas en las sienes, una señora muy anciana que portaba coquetamente un abanico negro con pedrería, otra señora que aún estaba de buen ver —luego supe que era su madre— y un joven bastante apuesto, rubio. En general saludaban a la gente que pasaba a su alrededor hacia las puertas de la sala, pero mantenían cierta cohesión, una especie de aire de familia, o quizá un torbellino del que la joven era el centro, porque resplandecía, enfundada en un vestido largo, de terciopelo verde oscuro, que comenzaba en sus pechos y la recorría toda hasta los pies como si la estuviera poseyendo. Esta idea me alteró mucho los nervios y le pedí a Willie, quien conversaba campechanamente con una tal señora Móndrigo, oriunda de Pensilvania, que por favor tomáramos nuestro asiento. Subimos por el elevador al segundo piso y llegamos al palco de Willie.

¡Ah, qué Stendhal ni qué Balzac, cuál conde de Montecristo! Ante mí el palacio de las Bellas Artes, su vitral al techo, su telón cristalino que evoca los volcanes, y en los asientos rojos y dorados la mejor sociedad capitalina. Frente a nosotros, en los palcos más cercanos al proscenio, una serie de familias que se disputaban tules y casimires, y al centro aquella mujer enfundada en verde que me había quitado el aliento con su piel clara, su cabello negro alzado en un chongo, sus ojos garzos. Y la cosa no quedó ahí: llegó un mesero con una botella de champaña, regalo para Willie de una de sus amistades, y cuando estábamos levantando las finas copas de cristal se apagaron las luces. Pensé que comenzaba ya el concierto, pero no. Cuál no sería mi sorpresa al ver que los reflectores potentes se dirigieron al palco presidencial, y en él apareció el general Caso con sus ministros y su señora esposa, el pecho del frac cargado de medallas. Todos nos levantamos a aplaudir.

—¡Viva mi general Caso! —se oyó por ahí, y todos gritamos ¡viva!, haciendo eco a aquel entusiasmo oficial. Yo gritaba, y a la vez me sentía tan ajeno a todo aquello, como si estuviera en el cinematógrafo, que me quedé mirando fijamente al general quizá con gran descaro, olvidando mi lugar en el mundo y el respeto que debía a todas estas personas. Así vi que el general volteaba a ver a Blanca, le sonreía y le lanzaba una mirada de fuego. ¿Le correspondió? No supe ya. Recibí un manotazo de Willie, pues sin querer le había tirado el champaña en el pantalón.

—¡Compórtese, compadre, parece usted un niño de brazos! —me dijo entre ofuscado y como siempre bromista. Saqué mi pañuelo y le empecé a limpiar la pierna, pero eso lo contrarió más:

—¡Ya, espérate! —exclamó, arrebatándome el pañuelo y procediendo a limpiarse él mismo.

Antes de que pudiera yo ver si la gente de los demás palcos se burlaba de mí, se apagaron las luces y subió el telón. Me costó mucho trabajo fijar mi atención en el escenario, intrigado por averiguar si Blanca correspondía a aquella pasión que había cruzado el teatro como un rayo refulgente y eléctrico, a mi modo de ver. Pero la ley de las luces me dominó y no pude menos que dirigir la vista al escenario: salió la señorita Ledesma, tal como la había yo conocido en el tren, pero toda de blanco. Tocó en medio de la luz, como una diosa solitaria, las sonatas de Beethoven y algo de Debussy que no pude saber qué era porque en medio del éxtasis se me cayó el programa al patio de butacas. Pero qué fervor sentí, cuánto sentimiento aplicó la señorita Ledesma a las teclas, cómo me sacó unas cuántas lágrimas.

Sin embargo, cuando resonó el *Claro de luna* en todo el teatro, olvidé a Blanca, olvidé los pechos de Mumú Ledesma y Mauro se apareció en mi imaginación, perfecto, recortado como en una estampa contra un fondo de cielo sin nubes. ¡Cómo hubiera querido verlo en ese momento haciendo cualquier cosa, oler su ropa, sentir su mirada azul en mi cabello perfumado, en mi traje! Después vino *Para Elisa* y recordé la noche previa a mi partida, la prisa de Mauro por subir a su habitación, el doctor que se quedaba en su lugar, lo demás que siguió.

En el intermedio se encendieron las luces tenuemente. Los reflectores alumbraron al general Caso, que se levantó para partir con su comitiva. Todos nos paramos a despedirlo, y yo hubiera querido saber si aquello que obligaba a Blanca a enjugar los ojos con el pañuelo era una lágrima, o puro y sincero amor, del que lo atormenta a uno. A mi lado, Willie bostezaba.

—Vamos a buscar unos tom collins y te llevo con Mumú —me ofreció, pero me negué.

Con las prisas, en un intermedio, no hubiera querido robarle la inspiración que seguramente necesitaría para terminar el concierto. Le pedí que lo hiciéramos al final. Llegó otra botella de champaña al palco de parte de un ingeniero Fonseca para Willie; así ya no hubo que salir por los tom collins. De palco a palco cundían los brindis, y de no suponer que yo ignoraba demasiadas cosas, me hubiera dicho a mí mismo que qué guarapetas se ponía la gente en los conciertos. Aprovechando que Blanca miraba en dirección a nosotros, procurando desviar la vista de sus familiares, y —estaba casi seguro— que no la descubrieran llorando, triste por la partida del general, la miré con fijeza y alcé mi copa hacia ella levemente. Qué dicha y qué pánico: tuve la impresión de que me correspondía, pero otra vez se apagaron las luces y salió Mumú al escenario. Yo quedé cimbrado y a duras penas pude concentrarme en escuchar la segunda parte del concierto, mareado por la champaña y por aquella mirada que jamás esperé se dirigiera a mi persona. Mientras, Willie se adormecía y me cuchicheaba de tanto en tanto chismes sin contexto:

—El señor Fulano se restriega contra Mengana, fíjate. ¿Ya viste qué garras se puso la Falconnetti?

Cuando me acostumbré a la oscuridad, pude ver la sombra de Blanca, esperando distinguir el brillo de sus ojos, pero la distancia no permitió que lograra una cosa tan declaradamente literaria. Ya casi al final, en medio de una alegre polka, ella y sus acompañantes se levantaron al unísono y se marcharon, cosa que me pareció de mucha distinción, como para hacer ver que ellos habían ido a escuchar la música y no para quedarse a figurar, como tanto *snob* o advenedizo que seguramente estaba allí, es decir como yo o el propio Willie, que no teníamos nada de aristócratas. Igual me quedé todo nervioso, sin saber si la inquietud que aquella mujer me había despertado era algo etéreo, espiritual y fino, o una vulgar curiosidad, pues cualquiera de esos sentimientos me revelaría lo que en realidad era yo. Entonces atisbé la posibilidad de que mis sentimientos me pudieran acercar a las personas que yo consideraba innatamente superiores y sentí una especie de vértigo. Después, las luces se encendieron, el consabido aplauso estalló y le llovieron a Mumú rosas rojas desde los palcos y desde el segundo piso.

Jamás había yo visto nada así; ella, toda de blanco, herida por tantas flores, agradeció inclinándose con una reverencia como si fuera la emperatriz Sissi y yo la admiré, perdí la vista, aplaudí hasta que me dolieron las manos. Sin embargo, cuando Willie me dijo que la fuéramos a alcanzar al camerino me quedé paralizado.

—Ándele, hermano, no sea coyón —me dijo.

Para llegar a los camerinos del teatro de las Bellas Artes había que seguir por los pasillos laterales de la planta baja y cruzar una portezuela que da al escenario. Otro pasillo más estrecho, lleno de camerinos, donde imaginé que peinaban a la comparsería por los espejos, las pelucas y los maquillajes que los invadían, nos llevó al fondo del escenario: ahí se encontraba el imponente elevador de la escenografía, junto a los camerinos de las estrellas principales. Afuera del de Alejandra Ledesma se apiñaba una multitud.

—Vamos a esperar —me indicó Willie.

Dejamos que entraran los que se veían más cercanos. Los tramoyistas trajinaban a nuestro alrededor, supongo que preparando la función siguiente. Del lado opuesto a aquel en que nos encontrábamos nosotros, pude ver a Martínez Limón cargado de un enorme bouquet de gladiolas blancas y amarillas, todo vestido de azul marino, con el sombrero en la mano. Yo le pregunté a Willie, señalándolo, si lo conocía.

—Sepa la bola, si hasta va vestido de calle —me contestó mi simpático amigo.

El orgullo que sentí de ver a aquel tipo tan presumido que me había pretendido humillar, encontrándome yo, como quien dice, con la crema y nata, fue algo tan rico, tan delicioso, que jamás lo olvidaré; también aprendí que sentirse superior a los demás era algo que se saboreaba. En ésas estaba cuando vi a la señorita Ledesma extender sus brazos regordetes y polveados hacia mi amigo y saludarlo con efusión, diciendo «muchas gracias» repetidas veces.

—A usted se me hace que lo conozco —me dijo después.

Logré balbucear «en el tren de Tonalato», al tiempo que concebía la ilusión de sumergirme en sus brazos. Me dio un muy cortés saludo de mano, que era lo apropiado en esta circunstancia, y yo no sé de dónde saqué fuerzas para arrebatarle la mano, besársela y decirle casi al borde de las lágrimas que sólo un ángel podía tocar como ella lo había hecho. Entonces la señorita Ledesma enrojeció, Martínez Limón se puso verde y mi amigo Willie se quedó pálido: para mí fue un milagro, obra quizá de tanto alcohol, o de la exaltación producida por la música, la visión de Blanca y los pechos de la señorita Ledesma amaneciendo entre su vestido de gasa. Fue así como Alejandra Ledesma, Mumú para sus amigos y la sociedad, me invitó a visitarla cuando yo quisiera.

Cuando salimos del palacio, en medio de la gente que seguía saludando a Willie, vi a Martínez Limón bajando las escaleras derrotado, arrastrando sus gladiolas pétalos abajo por el mármol blanco.

—Vamos a comer unas carnitas —me iba diciendo Willie—, y luego te invito a un festejo de artistas.

De camino, en el coche, le pregunté a Willie varias cosas que me tenían intrigado: quién era la bella desconocida de terciopelo verde y por qué él no llevaba a su mujer a pasear. De lo primero me dijo que Blanca se llamaba Matilde Saldívar y que era la hija de un gran industrial panadero que figuraba mucho en sociedad; se susurraba que era la amante del general Caso. Entonces yo colé otra pregunta, inevitable: ¿qué hacía un vendedor de lápices como Willie Fernández en aquella sociedad bohemia? Willie me miró contrariado:

—Yo también soy artista, chato, he encontrado una ruina arqueológica y tengo un libro de poemas: *La sombra sueña* —refunfuñó—, pero tengo que comer, como tú.

Ya la otra pregunta no me la respondió, porque llegamos a un expendio de carnitas y saciamos ahí un hambre de todo el día. Me costaba mucho trabajo, viendo a Willie Fernández introducir en su cuerpo el buche, la nana, el ojo y el nenepil, pensar que era un artista, un artista quizá telúrico, a la Víctor Hugo, y a la vez terrenal, con esposa, cinco hijos y una gran afición por los festejos. Al cabo de unos cuantos bocados se empezó a reír y a palmearme las espaldas por la forma en que había conquistado, según él, a la pianista. Cuando terminamos de comer los tacos, en un local pequeño de puente de Alvarado, me invadió un gran cansancio; ya no conocí aquel día a los artistas amigos de Willie porque le rogué que me llevara al hotel. Sentía un gran deseo de estar solo para digerir todo lo ocurrido en un solo día, que para mí había sido como una eternidad, y tenía miedo de desencantarme, de que la verdadera sociedad frecuentada por mi amigo no fuera tan brillante como él decía, o por lo menos como la que había visto yo en el concierto. Creo que hice bien y mi intuición me salvó: al llegar a mi cuarto encontré un cable de Mauro, en el que me preguntaba si ya estaba buscando departamento o casa y por qué no me comunicaba con él. Había sido un loco; me había cegado el espejismo de la gran ciudad. Mauro me había dejado también varios recados telefónicos y yo no había aparecido por el hotel en todo el día. Podría pensar que me estaba gastando su dinero nada más, sin cumplir con mis obligaciones, y el hecho de que me tomara por una especie de ladrón o de pariente disoluto me asustó. Era tarde ya y me prometí llamarlo al día siguiente. Pero las emociones, las nuevas experiencias y la borrachera me causaron pesadillas; soñé que le mordía el cuello a Blanca y que metía la nariz entre los pechos de Alejandra Ledesma. Cuando levantaba el rostro para mirarlas a los ojos, aparecía en su lugar, invariablemente, mi primo Mauro.

IV

Cuando alguien le pide a uno que vaya a verlo, suele darle
su dirección. Eso pensaba yo en la bañera, acotando mi pensamiento el hecho de que en toda mi vida muy poca gente me
había concedido semejante honor. Friccionaba mi cuerpo
enérgicamente con la esponja y dejaba caer agua sobre mi cabeza, tratando de aclarar mi mente y poner en orden mis pocas
ideas. Era curioso que, habiéndome considerado siempre una
persona baja, pequeña, sin importancia, veía mi cuerpo en la
tina y empezaba a gustarme. Ya no era tan delgado, pero estaba firme; noté los signos del embarnecimiento que alguna vez
en mi infancia en San Gil escuché al padre Severo cuando nos
los explicaba a unos cuantos muchachos preguntones en el ca-
tecismo: el cuerpo se siente más grande, con más carne, más
macizo. La cabeza crece, la barriga se ensancha con la comida,
las copas y el descuido. Como que algo así me estaba pasando.
También nos decía el padre que crecía el miembro y no debía
uno engolosinarse con él. Yo vi el mío aumentado en el agua y
tuve la tentación de medírmelo, pero la superé pensando que
estaba haciendo el pazguato y olvidando mis quehaceres. Así
que me eché agua fría y salí a pedir comunicación con Mauro.

Cuando la operadora me dijo que estaba por entrar la comunicación desde Tonalato, el corazón me empezó a latir muy rápido, el estómago me dolió; sentí una mezcla de ansiedad y miedo, porque pensé que me esperaba alguna reprimenda. Hasta el momento de mi primo no había recibido regaño ni desaire alguno, pero la sola perspectiva de que me alzara la voz me daba vértigo. Contestó y oí vibrar de nuevo su voz varonil, cordial hasta el engaño.

—Mauro —le dije—, primo, muy buenos días.

—Lo mismo para ti —me respondió.

Después me preguntó amablemente cómo me iba en la ciudad, si me gustaba, si había podido atender sus asuntos. Traté de ser cortés y natural, pero los nervios me traicionaron y me puse a leerle atropelladamente la lista de sus ganancias, la que me había dado Willie Fernández, sin orden ni presentación. Me había sentado en la cama, secándome con la toalla, y el papel que leía se iba mojando con el agua que me goteaba del cabello. Después le mentí a Mauro; le dije que había buscado alojamiento, pero que aún no encontraba algo apropiado, y que a más tardar en una semana ya estaría yo fuera del hotel. Mi primo se quedó callado en el teléfono, cosa que aumentó mi tensión. Al cabo dijo:

—Otra semana es mucho, Artemio.

Y me explicó: le había surgido un negocio importante, por lo cual yo debía buscar un lugar grande, elegante, donde él o el doctor Lizárraga pudieran instalarse —pues vendrían pronto a la capital— y hacer buenas recepciones si era necesario. Había una nueva colonia, la Hipódromo, donde se hallaban departamentos buenos y casas grandes. Debía mirar bien por esa colonia qué había y llamarlo para que él por teléfono me ayudara a decidir, pero hoy mismo en la noche, a más tardar mañana. Nada de que en una semana.

Así son los ricos, pensé más tarde frente a mis hot cakes del café de París, mientras marcaba con un lápiz bicolor las casas cuya renta se avisaba en el periódico: primero parece que regalan las cosas, y después no se pueden aguantar de tomarlas. Pasa uno de ser un obsequiado, a fungir sólo como una especie de cuidador de sus posesiones. Me reproché al mismo tiempo por tener estas ideas, porque bien afortunado era yo de estar en la capital y no debía quejarme de buscar una casa para mi primo, quien a fin de cuentas era el que la pagaba. Quizá me había yo soñado como un rico heredero conociendo a la sociedad capitalina y montando mi guarida de soltero en un caserón romántico como los que Willie me había dicho que había en la colonia Juárez; era evidente que trabajaba para mi primo y probablemente, si él o el doctor Lizárraga venían —y aquí el jugo de toronja me supo amargo—, me ocultarían con vergüenza como a un Cuasimodo.

Señalé varias casas y departamentos en calles que desconocía, y regresé al hotel a lavarme los dientes y llamarle a Willie, a ver si me podía acompañar a aquel barrio. Willie estaba en su oficina, como todas las mañanas, y sonaba un poco apagado y lelo.

—Estoy crudísimo, mano. Bendito tú que no tienes que trabajar desde las ocho, como tu charro negro.

Cuando le pedí que me llevara a la Hipódromo, exclamó que ni pensarlo, que tenía un montonal de trabajo y además ni que fuera yo un chamaco.

—Si te atreves a salir a la calle, encontrarás unas cosas que se llaman taxis: son amarillos y parecen cocodrilos, como mi compadre el caimán González, boxeador de peso ligero.

—No seas pesado, hermano —le supliqué.

Después, ya que estaba en ésas, me aventuré a preguntarle cómo le iba a hacer para visitar a la señorita Ledesma si no tenía su dirección. El muy socarrón insistió:

—Hay unas cosas que se llaman directorios telefónicos; también son amarillos.

Estaba insoportable. Mejor le dije que ahí me hablara después cuando se le hubiera bajado la bilis, y colgué. Pero tenía razón. No me costó buscar en el directorio del hotel y encontrar: «Alejandra Ledesma. Pianista. Sonora número 7, interior 4, colonia Hipódromo. Erikson 23-23-75». Me pareció que aquella dirección olía a sándalo.

Iba en el taxi surcando la ciudad desconocida, llena de unos camioncitos pachones y trompudos, verdes y amarillos, así como de tranvías cremosos de los que los niños se colgaban como moscas. Saliendo del centro hacia barrios más señoriales y a la vez vacíos como en la provincia, mientras admiraba los amplios camellones con palmeras, traté de bosquejarme un plan. No tenía caso caminar por toda la colonia, sudar y arruinarme el nuevo traje café de alpaca, para llegar al mediodía a la casa de la señorita Ledesma como un gañapán, a interrumpirle la comida y darle mala impresión. Mejor llegaba ahora, trataba de verla o si no le dejaba un recado, y le llevaba, por ejemplo, unas flores. No sabía que hubiera sido de mejor tono esperar aunque fuera un día más, ¿cómo lo iba a saber? Para mí, su petición de que la fuera a visitar fue como una orden que debía cumplir lo más pronto posible, con todo y mis dudas, mi miedo a desagradarle. De cualquier manera, daba por sentado que la buena impresión que le causé en el tren y mi asistencia puntual a su concierto con un conocido suyo podían actuar a mi favor.

El taxi me dejó frente a un edificio de corte modernista, lleno de balcones disímbolos, adornos de mosaico y patios intrincados. Colindaba con un bonito parque y una amplia avenida circular.

—Por aquí corrían los caballos —me dijo el taxista—; ahora corremos nada más nosotros y los coches, todos alocados.

Después me cobró veinte centavos. Cuando lo vi marcharse, recordé las flores, pero ahí no se veía ninguna florista, ni nada por el estilo. Así que me aguanté, me estiré el traje, me armé de valor y toqué el timbre. Una criada respondió desde un balcón del segundo piso. Pregunté por la señorita Ledesma.

—¿Quién la busca?

—Artemio González.

—¿Para qué la quiere?

—Me pidió que la visitara.

—¿Quién es usted?

—Un admirador. Fui a escucharla anoche al palacio de las Bellas Artes. La conocí en el tren de Tonalato.

Después no oí nada más. Vi pasar un Ford azul como de sueño, elegante y nuevecito. Me imaginé, mientras lo veía alejarse por el parque, que la señorita Ledesma no me iba a abrir la puerta así como así, y con toda la razón. Que era un estúpido, que a una señorita tan famosa se le llevaba algo, o por lo menos se le ofrecía algo más que una visita llena de curiosidad, como era la de un iluso y un pazguato como yo. Sin embargo, quién sabe qué me pasaba aquel día, que por más que me dijera muchos insultos y denostaciones, éstos no me terminaban de calar. ¿Sería la noche anterior, el embarnecimiento, el miembro que me había visto en la tina tras mucho tiempo de no pensar en él o de usarlo para lo más indispensable, y que, lo confieso, me llenó de orgullo?

Aun así, estaba convencido de que no me abrirían la puerta, y mientras miraba mi rostro reflejado en la pulida placa de bronce que sostenía la manija de la puerta del edificio, y decidía, aprovechando la soledad, que me sentaban bien el traje y el sombrero con la mandíbula cuadrada, el portón se abrió y una criada de uniforme me invitó a pasar. Chaparra, morenita, bien peinada, la cofia sobresalía de su cabeza como veinte centímetros; me recordó al papa Inocencio II que había visto en una estampilla. La seguí por pasillos intrincados de mosaicos amarillos decorados con motivos vegetales, por escaleras que colindaban por galerías de cristal en bloques, por patios interiores en los que los leones de unas fuentes vomitaban chorros de agua, por corredores circulares con zócalos altos de granito negro, entre ventanales, tragaluces y ojos de buey, y finalmente, tras dejar en el camino muchas puertas, una se abrió.

La casa de Alejandra Ledesma era tal como imagina uno el templo de una diva, con sus estatuillas en las consolas, sus ricas telas, sus canapés de terciopelo asalmonado, y remates de palmas y plumas por doquier. Era muy distinta de la mansión de Mauro, pues uno diría que aquella era sobria, seria, y hasta un poco aburrida, y ésta parecía una casa de muñecas vestida por una niña. Daba la impresión de que en cualquier momento, en un rapto de inspiración súbita, por capricho divino, la artista cambiaría el color de todos los tapices y la fecha de todos los muebles. No pude menos que sentir veneración y arrobo. Tan deslumbrado estaba por el salón al que la criada me había conducido, que no había visto una figura detenida al pie del arco que comunicaba la sala con el comedor: era Alejandra Ledesma, vestida con una elegante bata larga, púrpura, de flecos. Se acercó a mí extendiendo las dos manos, y con ellas tomó las mías.

—¡Qué alegría verlo!

—No hago más que obedecer sus órdenes, señorita Ledesma; estoy a sus pies — exhalé de modo casi ininteligible, pues la garganta se me había cerrado.

Rogué por que se sentara y me permitiera a mí hacerlo, pues las rodillas me temblaban. Tan valiente, tan hombre que me había sentido a la puerta del edificio, y ahora de repente estaba a punto de caer como un muñeco de trapo. Hasta la señorita Ledesma se espantó y llamó a la criada:

—Por favor tráenos oporto, que este joven se me está por desmayar.

Y me hizo recostarme en el cheslong; al rato la muchacha de la cofia alta me ofreció una copa. Qué cosa tan exquisita, qué delicia era eso del oporto. Nunca lo había probado. Me gustó tanto que apuré la primera copa y pedí una más. Era como estar en una especie de paraíso, tomando aquel vino tan dulce y bajo la mirada de preocupación de una gran mujer. Ya un poco reanimado, le pedí disculpas a la señorita Ledesma por andarme desvaneciendo en su casa.

—¿Cómo ha pasado sus días en la capital?, ¿ha comido bien? —me preguntó, y poco a poco, de manera sucinta, le relaté mis primeras impresiones de la capital, el deslumbramiento que me había causado el palacio de las Bellas Artes, el encargo que tenía de mi primo de buscar casa en aquella zona.

—Ha hecho usted muy bien en visitarme. Va a ver cómo resolvemos su problema de habitación en un santiamén.

Se levantó con mucha agilidad y descolgó la bocina de un teléfono dorado que brillaba encima de un gran piano de cola, cubierto con un enorme mantón rojo de seda con bordados y flecos. No entendí bien con quién hablaba porque cerré los ojos, dejándome llevar por la música sinfónica que emanaba de la radio encendida sobre una rinconera. Lo que sentía ahí era una mezcla de voluptuosidad y recogimiento, algo cercano al amor maternal, no lo podría definir. No era exactamente el calor que me daba mi madre —a quien por cierto no había dedicado en tres días ni un solo pensamiento, hijo desagradecido—, sino algo mucho más luminoso, cómodo y jovial. Abrí los ojos para ver a la señorita Ledesma de perfil, inclinada ligeramente sobre el piano. El tono oscuro de la bata reducía el volumen de sus formas, le daba una figura esbelta y a la vez trágica; en un momento, a mitad de su conversación, me dedicó una sonrisa cálida que me llenó. Vi que en su seno, donde la bata se cerraba, lucía una orquídea, y por un momento soñé que se la quitaba y me la ofrecía. Luego la bata caía al suelo, libre el cuerpo de la tiranía encantadora de la flor. Yo pensé: ésta es la mujer que he estado esperando toda mi vida. Y luego me dije: no, Artemio, si es mayor que tú, ¿cómo va a ser? Por fin colgó ella, sin que la flor ni la bata se hubieran movido de donde estaban, y me dijo:

—Ya está. Si me espera, Artemio, lo acompaño a que visitemos una casa que está aquí a dos cuadras; es de una señora amiga mía que se va a mudar. ¿Le puedo decir Artemio, verdad? O más bien... —se quedó mirando hacia el ventanal del comedor contiguo como si se le hubiera ocurrido algo revelador; ahí pude apreciar su perfil griego— le puedo llamar también Arte, si no le molesta. Arte —repitió—, el arte es lo más sublime que hay, ¿verdad? El arte nos transporta hacia otros mundos —murmuró con una sonrisa.

Me ruboricé; asentí torpemente y me levanté con caballerosidad en lo que ella salía a prepararse. Después di un paseo por la estancia y me senté en el banco del piano, junto al cual estaba la ventana, oculta tras unos cortinones de terciopelo. Los aparté un poco y miré por la ventana: la pintoresca avenida Hipódromo se perdía en un círculo infinito; a ambos lados de la avenida había salpicadas alegremente algunas casas nuevas, grandes, y jardines o terrenos baldíos. Atrás se atisbaba el parque con sus fuentes y sus álamos. A la mitad de la calle, el camellón sembrado de palmeras y árboles chaparros, a cuyos pies rodaban las amarillas hojas otoñales, hacía sentir un no sé qué indefinible de melancolía, como la que a veces sentían los personajes en las novelas. Pronto salió la señorita Ledesma ataviada con un bonito traje de calle y sombrero.

—*On y va?* —me preguntó.

La seguí como un soldado, con una firmeza general, mezcla de ansiedad y excitación. A ese paso, si seguía tan cegado por cualquier cosa que ella dijera, por su perfume, por el halo de innata superioridad que la rodeaba, iba a terminar como su pelele. Y eso me gustaba y no me gustaba. Ya tenía suficientes deslumbramientos y dolores de estómago con mi primo, y ahora sólo me faltaba que al encontrar a una mujer que se interesara por mí, me acabara de destruir. Mientras cruzábamos el pasillo en la penumbra decidí que debía sobreponerme —aunque me costara mucho trabajo—, tratar de verme menos sumiso. Así que en el quicio de un escalerón respiré hondo y le pregunté con amabilidad pero con firmeza a la señorita Ledesma si podía llamarla Mumú. No supe qué me contestó porque tropecé con un peldaño y me caí.

No fue muy fuerte el golpe en la cadera; quedé tirado en la losa fría, escuchando cómo gritaba la señorita Ledesma pidiendo auxilio. Mientras acudía su criada del departamento y ella la esperaba parada junto a mí, yaciendo en el piso le alcancé a ver por un momento los calzones con las medias y el liguero: eran azules. Después me levanté lo más rápido que pude, ayudado por la artista que estaba muy asustada. No sé cuántas veces me preguntó si estaba bien y cuántas más le pedí perdón por mi torpeza.

—Pensará usted que no soy más que un baboso provinciano, además le estoy quitando su tiempo tan valioso —le dije ya en el parque, cruzando el cual se encontraba la casa que íbamos a visitar.

—Claro que no, Arte —me animó—, usted no es provinciano. Es usted un turista.

Acto seguido sacó de su bolso de terciopelo una bonita cámara Brownie con fuelle, de las que estaban muy de moda en los periódicos, y me pidió que me subiera a un puentecito falso, bajo el cual desfilaban los patos por un arroyo verdoso. Me tomó una fotografía con el chorro varonil de la fuente tras de mí, apoyado en el barandal del puente. Después le pedí permiso de tomarle una frente al lago de los patos y así olvidé el golpe y los problemas, en especial cuando llegamos a una fuente en la que se paraba la escultura de una mujer completamente desnuda con dos jarrones de agua junto a los pechos.

—Es bellísima, ¿verdad? Es sumamente artística —exclamó Alejandra Ledesma tomándome del brazo.

Después me prometió llevarme a visitar Chapultepec y a una corrida de toros.

—Ay, Arte, si no ha conocido usted nada todavía.

Me animé a preguntarle si la podía llamar Alejandra, esperando no caerme otra vez. Ella me enseñó sus lindos dientes blancos y me dijo que sí. Nada dijo de lo de Mumú, y empecé a sospechar que quizá Willie Fernández me había gastado una broma.

La casa que fuimos a visitar era enorme, y vacía lo parecía más: pisos de mármol, una escalera redonda que descendía majestuosamente desde el primer piso. Balcones, balaustradas, grandes habitaciones con ventanas de vitral. Un bonito jardín con árboles de tule, palmas y rosales. La señora que nos recibió nos iba guiando por la casa tomando a Alejandra de la mano. Le iba contando cosas familiares, que yo no entendía bien: hablaban de gente desconocida, de enfermedades. Yo mientras miraba las estancias y pensaba en lo solo que me iba a sentir, calentándome un café en esa cocina blanca, infinita. Era una casa de techos altos, candiles y aplicaciones de madera inclusive en los techos, alrededor de los estucados para las lámparas. La verdad, la verdad, hubiera preferido un departamento moderno, chico, soleado, quizá en el edificio donde vivía Alejandra, pero me di cuenta de que no tenía muchas opciones: este caserón era del tamaño del de Mauro. En todo caso, podía buscar otro con menos estucados, pero mi primo me había exigido rapidez y no podía yo desairar a la señorita Ledesma. Además, la señora Margot Pontebello —que así se llamaba la señora dueña de la casa— me había dicho que conocía a mi primo, que la casa seguramente le iba a encantar. Por lo visto todo el mundo conocía aquí a Mauro. Quedamos en un precio que más bien negoció Alejandra por mí, al darse cuenta de lo poco que yo sabía de dinero y de gastos. Después me invitó a comer salchichas de Francfort a un restaurant pequeño, encantador. Cuando íbamos por el café, y miraba yo embelesado sus lánguidas ojeras, su boca pintada, sus encajes, flecos, sedas y terciopelos, me confesó que sí le decían Mumú, pero sólo algunos amigos del pasado.

—Prefiero que me llame Alejandra; es más bonito —me dijo poniendo su mano sobre la mía.

Regresé en un taxi al centro canturreando, soñando, repitiéndome la vida y las frases de Alejandra Ledesma:

—Estudio el piano siete horas diarias, a cualquier hora, me da buena suerte; el arte es todo para mí; no me ha interesado el matrimonio, prefiero la amistad, es más perdurable. En mis viajes he conocido toda clase de personas, de todos los círculos sociales, y he llegado a la conclusión de que la nobleza se lleva en el alma y es la mejor clase. Usted, Arte, es dueño de una vocación, una sensibilidad; nunca es tarde para encontrarla. El domingo iremos a los toros, Arte; tiene usted que admirar ese espectáculo.

En el reloj de Bucareli se me empezaron a salir las lágrimas. No sé si el taxista lo notó, porque había empezado a decirme que ese reloj lo donaron los chinos, y luego cerró el pico. La música melosa de su radio me envolvía: ¿me había enamorado?, ¿había sucumbido a la fascinación de las mujeres?, ¿no traicionaba acaso la devoción que debía a Mauro, el absoluto apego a lo que él me mandara? En suma: ¿era mía mi vida aquí en la capital? Tuve miedo de que súbitamente, por una decisión de mi primo o del doctor Lizárraga, tuviera que regresar a Tonalato, o peor aún, a San Gil, a trabajar en la fábrica de siempre y llevar la vida de siempre, teniendo que olvidar todo esto como si fuera un sueño o una película que ya había terminado, sin que nadie filmara la continuación.

Subí totalmente conmocionado por el elevador del Gillow y llamé inmediatamente a Mauro para decirle que ya había encontrado una casa en la Hipódromo. Le hablé de la señora Margot Pontebello y de la cifra que pedía como renta mensual, cifra que yo no hubiera soñado antes ganar en toda mi vida. Contra todas mis suposiciones, Mauro quedó encantado, le pareció muy bien. Después me dio dos encargos: uno consistía en llamar a un decorador, Freddy Santamaría, para que inmediatamente se pusiera a trabajar en amueblar y vestir la casa.

—Vas a disfrutar de unos días más en el Gillow, ya vi que te gusta —me dijo, yo creo que irónicamente.

Él me enviaría dinero suficiente en un giro a cobrar en el Banco Suizo para que abriera una cuenta a mi nombre, de la cual pudiera pagarle a la señora Margot y al decorador, así como sufragar mis siguientes gastos. Y no debía olvidar pedirle los informes semanales a Willie Fernández y rendírselos con toda puntualidad. A pesar de su firmeza usual me notó callado; entonces me preguntó si me pasaba algo, si no tenía algún problema. Yo tuve que juntar fuerzas para no soltarme en llanto en el teléfono, y lo más raro es que como presintió que sí me ocurría algo, prefirió no saberlo.

—Cuento contigo —me dijo—, espero tu llamada.

—Sí, Mauro —le contesté.

Freddy Santamaría era un decorador de cine bastante famoso, según me explicó Willie. Ahora mismo, todo el ambiente artístico estaba al tanto de que Santamaría preparaba la producción de *Apasionada,* una película que tendría un éxito seguro. Nos encontrábamos en su oficina; yo de plano me había apersonado ahí para contarle de la casa, de la señorita Ledesma y de los nuevos encargos de mi primo.

—¿Viste cómo era cosa de salir del hotel, tovarich? —me dijo el simpático Willie.

Después me mostró la sección de espectáculos de *El Clarinete,* donde se anunciaba que Santamaría y su gusto exquisito engalanarían la nueva joya fílmica de la nación; el mismísimo general Caso acudiría a dar el primer claquetazo.

—Llámale desde aquí, quiero ver qué te contestan las luminarias.

Así fue como le llamé a Freddy Santamaría desde la Dickson Coloured Pencils. Al escuchar el nombre de Mauro, su asistente lo puso en la bocina de manera inmediata.

—Encantado —dijo—, será un placer decorar esa casa. ¿Y qué estilo quiere?

—Mi primo dice que usted sabrá.

—¡Ah, maravilloso! —contestó—. Crearé para él la casa a la que el *todo México* querrá asistir.

Me sobresalté pensando que ésa iba a ser mi casa, ocupada siempre por gente elegante que me daría el sombrero al entrar, como a los lacayos, mientras Mauro y el doctor Lizárraga organizaban bacanales de las que daban vértigo.

—No te pongas mustio, hermano —dijo Willie—, y cuéntame si ya le echaste mano a Mumú o se te está poniendo difícil.

Eso sí que me puso furioso:

—Si me vuelves a hablar así de la señorita Ledesma, no te lo perdonaré, y se acabó eso de hermano y de compadre.

—No me digas que ya caíste rendido a sus pies.

Willie se me quedó mirando fijamente bajo el ventilador. Por una de las ventanas que se alcanzaban a ver en el cubo de servicio, un hombre que le había estado dictando a su secretaria como si nada, la tomó violentamente de la cintura y la besó.

—Pero Artemio, si te enamoras de la primera persona que conoces en la capital, ¿cómo vas a introducirte en la gran sociedad, al medio artístico, cual era tu ilusión? Al rato si te ven, van a decir: ahí va el micifuz de Mumú Ledesma, y se te acabó la personalidad. Más aún siendo primo de tu primo, chamaco, un hombre así de honorable, de ese tamaño. Y ahora discúlpame pero me tengo que ir a ver a Waldo Manchuria, un industrial del aserrín, pero escúchame hermano, no te comprometas de más.

Mientras tanto, el hombre y la secretaria se abrazaban fieramente encima del escritorio.

—Mira nomás —exclamó Willie, y abrió la ventana para gritarles—: ¡Parecen animalitos! Vámonos, chato, que aquí ya no se puede estar.

Esa noche me puse a leer un libro que me recomendó el librero de la calle Madero: se llamaba *Las penas del joven Werther*. No quería yo pensar en nada, porque las emociones me habían fatigado. Lo mejor que podía hacer, dada mi situación, era entregarme al amor por aquella mujer magnífica, me llamaran como me llamaran, y aprender de ella a elevarme por encima del vulgo. De eso a estar siempre a la sombra de Mauro, sin que él me considerara jamás como a un igual, quizá era mejor. Pero no podía leer, no podía pensar, no podía concentrarme. Afuera en el zócalo ondeaba la bandera a media asta, porque un tío del general Caso acababa de fallecer. Apenas pasaban por ahí unos indios con su mercancía, o algún mendicante.

En medio de aquella soledad, decidí escribirle a mamá para hallar con ello algún consuelo, pero después de detallarle en una carta todo lo que me había pasado, la rompí. ¿Cómo le iba a escribir a mamá que ya estaba enamorado, sin sumirla en horrendas preocupaciones? En lugar de eso empecé:

Querida mamá: todo marcha viento en popa...

Y llené las bonitas hojas del Gillow de mentiras consoladoras: tenía yo mucho trabajo, la ciudad estaba llena de actividad, había acudido a escuchar un magnífico concierto en el palacio de las Bellas Artes, y de momento no conocía más que a un tal Willie Fernández, muy de lejos.

Pasé los siguientes días dando vueltas por la ciudad en autobuses y tranvías, leyendo *Las penas del joven Werther* en los cafés. También fui al cine un par de veces. Willie me dejó varios mensajes, pero no los respondí. Mi propósito era ocupar mi pensamiento lo más posible, para vencer la ansiedad de ver a Alejandra Ledesma, siquiera hasta el domingo. Eso sí, visité el hermoso bosque de Chapultepec en su honor, y en los baños de Moctezuma quise llegar a una suerte de comunión con ella; hasta me dio la tentación de imaginarme con la diva dándonos baños prehispánicos entre las flores, pero me contuve. Por momentos me repetía su nombre y me parecía irreal que yo la pudiera llamar con él. En esos días tuve que ir a darle un cheque que me giró Mauro al abogado de la señora Margot Pontebello, la cual me prometió entregarme todas las llaves de la casa a la semana siguiente, para que empezara el decorador. Me encerré toda una tarde en la Biblioteca Nacional para leer periódicos, y resolví que en lo sucesivo, con el fin de ocupar mi mente en algo más provechoso que dar vueltas y esconderme, quizá podría escribir una novela sobre los náufragos que cuando llegué a la capital ocupaban los titulares de la prensa. También me mandé hacer un traje claro, pues me dijo el sastre de Cocoteros que era parte imprescindible del ajuar del hombre elegante y yo le creí. Me prometió que para el sábado lo tendría listo y podría estrenarlo sin problemas en la fiesta taurina. Inclusive me propuso mandarme hacer un sombrero andaluz para lucirlo ahí, pero eso ya me dio un poco de vergüenza, no fuera yo a hacer el payaso: después de todo, leer tanta novela me había enseñado que nunca había que parecer nuevo rico, y que eran mejores las medias tintas que la vana ostentación.

Pero llegó el viernes y ninguna noticia recibí de la señorita Ledesma, y el sábado tampoco. Pasé unas buenas horas dudando de si debía hablarle por teléfono, y hasta quise pedirle consejo a Willie, pero le hubiera tenido que explicar mi silencio a sus recados, lo cual me daba agobio. Entonces decidí, ni modo, pedir la comunicación con ella, y que el destino dijera lo que iba a seguir.

—Pensé que ya no me iba a llamar —fueron sus primeras palabras, y al escucharlas me invadió el júbilo más grande que yo hubiera sentido jamás.

—¿De verdad?

—No esperaba usted que yo lo llamara, Arte.

—Claro que no, claro que no —repetí, pues no sabía qué decir—. No quería molestarla, señorita Ledesma, no sé si recuerda que íbamos a ir a los toros.

—Cómo no lo voy a recordar.

Luego me regañó por no llamarla Alejandra y me dijo que su chófer estaría por mí a las diez de la mañana del domingo. Me di cuenta de que estaba un poco molesta, mandona, pero yo era verdaderamente feliz.

—Hasta mañana, Alejandra —le dije.

Ella suspiró y colgó. Estaba tan contento que me dieron ganas de irme a emborrachar con Willie, pero siendo sábado no trabajaba y no me había dado el teléfono de su casa. Por suerte me llamó él al hotel mientras me probaba mi nuevo traje de lino color hueso que, para qué más que la verdad, me quedaba muy bien.

—Vamos a visitar a unas muchachonas, unas amiguitas mías —me dijo. Y pasó a recogerme.

—¿Dónde te has metido, cuatachón? No me digas que la Mumú te trae arrastrando la cobija...

Pues qué le pasaba a este Willie, de verdad. Para evadir el tema, le conté mi plan de volverme novelista y le mentí diciendo que me había encerrado todos esos días en la biblioteca. Entonces vamos a ser colegas, dijo. En un alto me pidió que tomara un volumen que estaba en el asiento de atrás: era un ejemplar de *La sombra sueña,* dedicado, «con muchísimo afecto, a mi hermano Artemio». Me sentí muy conmovido, hasta ingrato por haberme negado a sus llamadas, y por estarle mintiendo. Ya estaba a punto de confesarle la verdad, que moría por Mumú Ledesma, que ansiaba verla mañana y que no me importaba cómo me llamara él, cuando entramos a una bonita y pintoresca colonia a las afueras de la ciudad, que me explicó era el pueblo de Mecalpan. Detuvo el coche a dos cuadras de la plaza principal, y tocamos a un viejo portón de madera. Un par de indias nos abrieron.

—Venimos por el pan —dijo Willie, y nos dejaron entrar. Ante mi estupor, me explicó que ésa era la clave. Pasamos a un gran comedor donde varias personas estaban sentadas alrededor de una mesa que me pareció de cedro, de roble, o de alguna madera de esas fuertes. Comían carnitas sobre un mantel blanco y bordado.

—¡Willie, chaparrito! —exclamó levantándose una señora muy pintada que estaba sentada a la cabecera, vestida de tehuana.

Todos los demás comensales saludaron también a mi simpático amigo, que me presentó:

—Éste es el joven Artemio González, que viene de Tonalato. Me tomé la libertad de invitarlo a compartir este edén para que se espabile un poco.

—A ver, Lola, hazle un lugar al señor —dijo la señora de la cabecera, indicándonos a Willie y a mí dos asientos apartados en la mesa.

Yo trataba de ver qué era este lugar, que se parecía a la peña de excursionistas del bachillerato de San Gil: un par de hombres de overol de mezclilla y muchas señoritas merendando en el calor provinciano. Me sirvieron mucho mezcal y no dejé de tomar durante toda la comida, a ver si así se me quitaba lo cortado. La gente hablaba del proletariado internacional, del general Caso y de otros políticos desconocidos para mí, que además me tenían sin el menor cuidado. Al rato la comida se alegró, empezaron los chistes colorados, y una de las muchachas, la más callada de todas, sacó una guitarra. Al calor de las notas, la señora vestida de tehuana, a la que todos decían Perla, le pidió a Willie que recitara una poesía. Mi amigo se levantó con buen estilo y se puso a declamar como un verdadero artista, cerrando los ojos:

Amiga que te vas:
quizá no te vea más.

Estaba irreconocible.

Era sorprendente la versatilidad de Willie Fernández, pero yo me encontraba tan agotado por la emoción de ver a Alejandra al día siguiente, que me quedé dormido. Willie me despertó cuando ya atardecía, y muy contrariado por mi mala educación, me despedí de los presentes y le agradecí a la señora Perla sus atenciones. La verdad hubiera preferido que mi amigo me llevara a un lupanar, para liberar tantas tensiones y estrenarme en la capital, pero no me animé a decírselo porque él estaba en otra vena:

—Así es, Artemio —me decía, mientras tomábamos la avenida de los Insurgentes bajo la noche estrellada—, debajo de este ser calvo, frívolo y de baja estatura, hay un romántico y un solitario.

V

El domingo me levanté a las seis de la mañana, lleno de ilusiones. En la penumbra pedí que me trajeran el desayuno al cuarto, para tomarlo ahí en pijama y no manchar así de huevo o de café mi nuevo traje claro. Quería estar impecable a las diez, cuando pasara a recogerme el chófer de Alejandra, y sobre todo después, al irla yo a buscar. No me terminaba de gustar que mandara por mí; pensé que lo más caballeroso era que la llevara yo en un auto de mi propiedad, pero para hacer un gasto así necesitaría el permiso de Mauro. Quizá después tendría que consultarlo sobre la conveniencia de tener un medio de transporte omitiendo, claro, la verdadera causa de esta necesidad.

Dieron las nueve y ya me había yo desayunado, bañado, lavado los dientes y perfumado el cabello con la brillantina Clavel de Holanda que compré en la perfumería Isis, propiedad del primo de mi sastre. Lo había hecho todo con mucha dedicación, aunque hubiera agradecido el sabio consejo de Willie que el día del concierto en el palacio de las Bellas Artes me había dejado realmente impecable. No me animaba a vestirme, pues quería hacerlo hasta el último minuto y evitar cualquier mancha o arruga accidental. Mientras tanto, me desesperaba en calzones, leía el periódico, miraba el reloj o seguía por la ventana el paso lento de un trabajador que jalaba una carretilla llena de telas hacia Correo Mayor, como una hormiga en el zócalo soleado. Estaba cansado de tanta espera, y después de todos esos días de pensar en Alejandra, de escuchar adentro de mí su voz emplumada, de estar invadido por una excitación perpetua, ahora que por fin iba a verla, a hablar con ella, me agotaba el miedo. No sabía ya qué desear: ¿quería tener ese mismo día, esa misma noche en mis brazos a Alejandra Ledesma y besar su boca de corazón?

Cuando por fin me calcé el traje y el sombrero claro maniáticamente al cuarto para las diez, sentía los miembros desguanzados y la frente oscurecida de desánimo. Me vi inclusive feo en el espejo. Sonó entonces el teléfono; de la recepción me avisaron que un carro me esperaba afuera. Saliendo del elevador, me golpeó la visión de un Packard café con leche, con una elegante franja de color vino, estacionado a la puerta del hotel: Mauro no me iba a pagar un auto así para que me encontrara en condiciones de invitar a Alejandra; quizá lo haría, en todo caso, para que yo lo llevara a él de manera anónima y servil como Tilo, su chófer de Tonalato. Respiré, sin embargo, al darme cuenta de que aquel automóvil no venía a buscarme a mí sino a unos turistas que salieron muy rubios por el portal. En realidad, lo que me esperaba para ir por mi pianista era un taxi. Entonces hasta risa me dio. Qué bohemia era esta mujer, y a la vez qué encantadora. ¿Por qué no me había dicho que tomara un taxi y llegara a su casa? Quizá Willie me lo podría explicar después.

Llegamos al edificio de Sonora, 6, y me bajé a tocar el timbre. La criada me gritó desde el balcón que esperara un momentito. Yo tenía ganas de orinar, una ansiedad espantosa y otra vez llegaba a casa de la diva sin flores, ni siquiera una en el ojal: ¿descuido?, ¿falta de mundo? No. Distracción y atolondramiento. ¿Cómo quería prosperar si olvidaba que el mundo de los elegantes está hecho de detalles? Se mandan cartas, se envían gardenias y bombones; así, cuando recuerdan a alguien tienen a mano un mechón de cabello, una flor prensada en un libro, un papel garabateado con lágrimas y tinta violeta o azul... Nunca había leído que un rico, alguien de la sociedad, no se ayudara de algún objeto para recordar al ser amado; y eso era porque antes, al encontrarse con éste, habían intercambiado aunque fuera un lazo de seda los lujuriosos, un misal bendito los más católicos, o una mísera rama fragante los románticos, por no contar los coches, las casas o las tiaras de diamantes que entre ellos serían moneda de lo más corriente. Si yo perdiera a Alejandra ese mismo día, ¿con qué me convencería a mí mismo de que una mujer de su estatura se había interesado por mí? Era absolutamente necesario darle un testimonio de mi rendición y obtener a mi vez un trofeo de amor: ese pensamiento me encendió el deseo tan adormecido por el cansancio.

Cuando Alejandra salió del portal, ataviada con un vestido de lunares rojos, muy a la española, y la boca pintada, me dije que sí, que sí quería poseerla esta misma tarde, si era posible, y obtener la prenda definitiva de su entrega. Era toda ella un cuadro alegre. Me extendió la mano para que se la besara y sentí de su parte una especie de displicencia, de lejanía, cuando ni siquiera me dijo buenos días y subió al taxi.

—Es usted un malvado, Arte, ni siquiera un mensaje, ni una tarjeta en toda la semana.

—Alejandra —le contesté—, no tengo excusa más que mi falta de mundo, e inclusive de costumbre.

Y añadí, viendo que el tono suplicante de mi voz la ablandaba:

—Quizá prefiera deshacerse de mí y echarme a un lado como a una hoja seca.

Noté lo bien que me empezaba a salir una lágrima. Ella pareció conmoverse; pensé incluso que iba a sucumbir y a besarme ahí mismo, pues su pecho palpitó. Pero rápidamente se recompuso.

—Nada, nada; yo lo voy a educar, Arte. Vamos a hacer que surja con toda luminosidad su verdadero ser; tengo mucha confianza en su futuro.

Me dio unas cuantas palmaditas en la mano con una sonrisa y se puso a darle indicaciones al chófer. Me quedé un poco desconcertado conforme el taxi avanzaba de nuevo hacia el centro de la ciudad y después al norte por unos llanos de pasto amarillento.

Ya en el coso, como le llamó la señorita Ledesma a aquel coliseo monumental con sus estatuas de toros y toreros circundándolo, no pude evitar que viniera San Gil McEnroy a mi recuerdo: no teníamos, como era obvio, una plaza de toros, pero en el mes de julio se soltaban en las afueras, en unos terrenos aledaños a la fábrica donde por lo común se jugaba al fútbol, algunas vaquillas para que los valientes las torearan. Los niños se entretenían tirándoles latas desde un entarimado. Así, en mi infancia campeaban las vaquillas atacando a los hombres inexpertos, las ambulancias y el inevitable traslado de los heridos al hospital de Tonalato, porque en el pueblo sólo había una pequeña clínica. La idea del toro, sin embargo, atrajo a mí el olor de aquellos campos y el de los antojitos que en esas fechas preparaba mi madre. Todo ello me puso triste, distraído; casi olvido comprar los cojines para que nos sentáramos y un refresco para Alejandra, en atención a su paciencia.

Cuando por fin tomamos nuestros lugares entre la multitud, quedé atolondrado: qué plaza tan enorme, cuántos anuncios de Mundet, cuánta gente. Nos encontrábamos muy cerca de la arena, al parecer entre celebridades que Alejandra saludaba discretamente agitando los dedos. Pude distinguir, unas filas adelante de nosotros —la mantilla blanca extendida en el balcón—, a Blanca y su familia. Su peinado me dejaba verle la nuca y el nacimiento del cabello: tenía el cuello largo, largo, blanco como el de una estatua. Era una visión ésta de lo más perturbadora, perfumada por la cercanía de Alejandra, y el paseíllo de los toreros al dar la vuelta al ruedo terminó por sumergirme en una muda voluptuosidad. Sabía cómo eran los toreros porque había visto en el orfeón de San Gil unos grabados de la ópera de Bizet, pero nunca había imaginado ni remotamente las sedas, los brocados, el encaje, su pierna torneada y musculosa contenida por la media blanca o rosada, el vientre liso y la cadera firme.

A la mitad de la vuelta se hizo el silencio que siempre precedía la entrada del general Caso a los actos de sociedad, y los pasodobles de la orquesta se convirtieron en aires marciales. En esta ocasión iba acompañado de su señora esposa. La pareja presidencial ocupó el palco de honor; la señora Caso extendió su mantón negro y florido frente a sí, y la estrella de la temporada, el torero andaluz Silvino, avanzó solo arrastrando con garbo el capote. Después, tras quitarse el bonete, se arrodilló a sus pies. Todos aplaudimos. La señorita Ledesma me apretó el brazo y me dijo:

—No crea que lo invité a cualquier corrida, Arte, ya verá usted qué artista es este hombre.

Entonces salió al ruedo el primer torero, Valerio —Silvino era la estrella principal—, y un toro pardo medio menso que tardaba eternidades en tirarse al capote. Yo me empecé a aburrir y a mirar hacia todos lados. Entonces vi cómo la señora Caso lanzaba a Blanca una mirada furiosa, y cómo ésta y un joven sentado al lado de ella se levantaban abruptamente para salir. El general Caso no movió una sola pestaña mientras su amada desertó del ruedo, y siguió viendo con indiferencia cómo Valerio lanzaba al toro una estocada torpe que hizo sufrir al animal antes de derrumbarse. De salida, Blanca pasó muy cerca de nosotros y su vestido de tafetán amarillo casi rozó mi butaca. Así de cerca era como una muñeca inmaculada, casi tuberculosa de tan delgada, a la que uno no sabía si proteger o venerar, tan profunda era la impresión que causaba. Miraba hacia arriba con indiferencia divina, imagino que para evitar el morbo que corroía las entrañas de toda la concurrencia. Alejandra, sin embargo, no parecía enterada de estos chismes, emocionada como estaba arrojando claveles. Yo pensé en el papá de Blanca, el industrial panadero: mientras el general siguiera encandilado con su hija, el negocio prosperaría; pero en el momento en que aquello terminara, el destino de Blanca y de la panadería iba a quedar en manos de la señora Caso y de su sed de venganza. Ahí estaba el pobre señor sentado, haciendo como que no se daba cuenta de lo que había motivado la salida de la muchacha. Aunque evidentemente, la señora Caso iba a pagar por el desplante que había tenido junto a su esposo; a saber qué escenas escabrosas se ocultaban tras la fachada adusta del matrimonio presidencial.

Yo cavilaba sobre estas cosas, que me parecían interesantísimas en todas sus posibilidades y a la vez me conmovían profundamente, equiparándolas con la triste historia de Napoleón y la duquesa de Padua —publicada recientemente en *El Clarinete Dominical*—, cuando Alejandra me reprendió sacudiéndome el brazo:

—¿En qué piensas, Arte, no te interesa la corrida?

Le pedí perdón. Reparé entonces en que se retiraba por fin Valerio, que no había despertado ningún entusiasmo en el público: Miguelito, el toro pardo, ya muerto, suplicaba clemencia al cielo con los ojos fijos mientras lo arrastraban afuera de la arena. Después, por fin salió Silvino, el guapo, como le llamaban, de porte esbelto y a la vez recio, el traje azul y dorado. Era impresionante verlo arquearse, izar el cuerpo y levantar el capote al paso de una enorme bestia negra bien contraria a la anterior. Silvino resistía a sus embates de fuego con una serenidad y una elegancia, que de haber sido aquella una historia de amor, sería el toro el ser más desgraciado del universo. Tanta voluptuosidad y la historia oculta tras la salida de Blanca, habían despertado en mí una especie de exaltación que se encendía al ver enroscarse a aquel hombre lleno de galones con una bestia tan primitiva. Aquel toro se llamaba el Esforzado, me confió Alejandra sonriendo, y empezó a explicarme el nombre de algunos pases: lo que eran las famosas verónicas, las tapatías, las chicuelinas y los molinetes, y ella misma empezó a perder el aliento y quedar muda, porque el toro se puso muy bravo. Silvino se arriesgaba, se acercaba demasiado para clavarle las banderillas. A mí me preocupaba el torero, pero también el hecho de que Alejandra respiraba tan fuerte que parecía que el vestido le iba a estallar, y no podía evitar ponerme del lado del toro: también al animal lo llenaban de adornos de colores, parecidos a la educación de mis sentimientos que yo venía recibiendo desde que partí a Tonalato, y que se acompañaba de una tremenda ansiedad y un gran dolor, como el que sentiría la bestia con los pinchazos que le infligían. Pero el toro fue lidiado con mano magistral, y se portó tan bien que al final le perdonaron la vida. Alejandra me apretó las manos.

—¿No es maravilloso? ¡Qué corrida! ¡Sólo por esto valió la pena venir! ¡No se esperaba ver algo así, Arte!, ¿verdad? Dígame la verdad.

No me dejaba hablar de lo excitada que estaba, y a mí me empezó a dar risa verla así; me contagió de su entusiasmo, y yo creo que por primera vez en mi vida sonreí de verdad, es decir que le sonreí a una mujer mirándola a los ojos, y hasta soltamos juntos un par de carcajadas. Y Alejandra hasta me dijo:

—Qué bonita sonrisa tiene usted, Arte.

Casi estaba yo por besar sus manos, o por cubrir con ellas mis ojos, cuando unos reporteros llegaron a pedirle una entrevista. Los monosabios barrían la sangre del ruedo, la gente bebía cerveza y vino en botas, comía toda clase de bocadillos, sonaban animosos los pasodobles otra vez: la exaltación reinaba en la plaza bajo el sol. Mientras la entrevistaban, ofrecí a Alejandra traerle un Orange Crush.

Aproveché para caminar y tranquilizarme, ver a la gente vestida de domingo. Tenía tentación de comer un sope, pero pensé en mi traje que nada pedía a los caballeros más elegantes, y por lo mismo me contuve. Por desgracia la multitud me empujó cuando llevaba el vaso con refresco, y me salpiqué la solapa. No sé por qué sentí que esa mancha me acarrearía mala suerte. Me limpié en los baños lo mejor que pude y llegué al lado de mi famosa.

—La música es el arte que los dioses nos legaron para cuando lo perdiéramos todo —decía. O bien—: Las sonatas de Prokofiev son uno de los mayores retos del ejecutante actual.

Cuando le extendí su refresco, los periodistas le preguntaron quién era su acompañante, y con un enorme desparpajo dijo que yo era su sobrino, llegado de Tonalato a estudiar a la capital.

—Artemio va a ser un gran escritor —añadió—, tienen que estar pendientes de él.

Los *reporters* se despidieron muy amables y yo me senté junto a Alejandra como si nada. Después le pregunté por qué había inventado que yo era su sobrino. Se turbó un poco y me dijo que la gente de aquí era muy mal pensada.

—Eres muy inocente, Arte, hay cosas que te costará trabajo entender.

Yo me quedé tenso, convencido de que quien iba a pensar mal era Mauro si leía semejante cosa en los periódicos, y el resto de la corrida lo pasamos en silencio. De regreso me llevó a comer al Junior Club.

—Debe ser aburrido para ti el hecho de no conocer jóvenes en la capital, Arte.

Yo le iba a decir que ni en la capital ni en ningún otro lugar conocía jóvenes, ni tenía particular interés en conocerlos, pero me contuve. Sentía miedo de que por un equívoco lamentable, todo se echara a perder: quizá Alejandra no tenía otro afán en mí más que el que expresaba francamente, es decir el de la educación, y era yo el que pretendía ver otra cosa en las miradas, las pausas, los reproches o el pecho que le subía a veces, el que había concebido tales esperanzas que no veía ya el momento de besarla y cumplirme la promesa de echármele encima.

El restaurant del club estaba lleno de jóvenes y niños que corrían por todas partes, y muchachas con traje para jugar tenis; tras los cristales se distinguía una alberca con su trampolín. No era precisamente un lugar para ponerse romántico, o faltar a la moral sin ser expulsado. Junto al restaurant había una pista de baile, y la orquesta tocaba ritmos modernos que yo había escuchado alguna vez por la radio, pero que en casa de Mauro se solían calificar como de despreciables o poco artísticos. Tomamos una comida deportiva y sin chiste; Alejandra comió su flan despreocupada, casi confirmando que era yo el atacado por la pasión, y esa frialdad después de ver la sangre del toro junto su pecho fragante oloroso a tabú y el talle fuerte de los toreros, me desesperó. ¿Cómo era posible que después de la gran fiesta, de la entrevista, de la exaltación, no fuéramos a comer a un restaurant famoso, lleno de celebridades, de sensualidad, champaña y apartados ocultos con cortinajes rojos? Parecíamos, efectivamente, una tía y su sobrino almorzando en domingo. Para colmo, de repente Alejandra levantó el rostro y me dijo:

—Anda, Arte, ¿por qué no sacas a alguna bonita muchacha a bailar?

Eso empezó a ponerme ya no triste, sino furioso.

—No sé bailar, Alejandra —murmuré—. Además —añadí ya de bastante mala manera—, no sé qué hace una pianista como tú, que escucha a Bartok, a Brahms, a Debussy, que interpreta a Halffter y a Manuel M. Ponce, a quien le he escuchado decir cosas sublimes, oyendo esta música.

Se me quedó viendo un poco pálida.

—Tienes que aprender a limitarte en tus expresiones, Artemio. No sé si te das cuenta, pero acabas de ser hiriente y descortés.

Y tras decir esto se paró y se fue con mucha dignidad. Corrí para alcanzarla, pero un mesero me detuvo en la puerta pensando que me estaba escapando sin pagar. Regresé a mi mesa, verdaderamente anonadado, y me bebí seis brandys seguidos, hasta emborracharme bien. Después pagué la cuenta y tomé un taxi al hotel.

Al día siguiente tardé mucho en levantarme; francamente me había intoxicado con alcohol el día anterior. No quería saber ni sentir nada, y así como llegué a mi cuarto, así me quedé dormido. Pero ahora la cruda era atroz. Lo cierto es que no estaba acostumbrado a tomar; en San Gil bebía muy de vez en cuando, y si lo hacía, acababa vomitando en la parte trasera de la cantina, sin que ninguna exigencia social me enseñara a medirme. En Tonalato había cometido tantas torpezas con el trago, que mi primo casi me lo había prohibido, y ahora en la capital aprendía aceleradamente a vivir con el alcohol adentro de las venas. Si me viera mi mamá, pensaba, se sumiría en la decepción: amaneciendo vestido en la cama, arrugando el traje claro en el que había depositado tantas ilusiones, oliendo mal y con el corazón hecho pedazos. Me metí a la ducha para llorar a gusto. No entendía nada; esto que me ocurría era una especie de castigo: ¿habría notado Alejandra cómo se despertaban mis instintos animales?, ¿sería todo, al contrario, una especie de malentendido?, ¿habría yo concebido esperanzas amorosas ahí donde no se me brindaba más que la amistad diáfana, la protección casi maternal?, ¿habría ensuciado yo la figura de una mujer superior, casi inhumana, para la que los apretujones, los roces y los besos, tan importantes para mí, no significaban nada? Me sentía verdaderamente humillado, inferior. Alejandra parecía darle la razón a mi primo Mauro, y peor aún, porque ella no tenía ninguna cola que le pisaran, pensé. Estaba yo en camiseta cuando llegó el muchacho a llevarse mi traje a la lavandería, y hasta me dio vergüenza entregárselo así de arrugado, con la mancha de refresco que tan mala espina me dio. Me vestí lo más común que pude y me fui a la biblioteca, pues para recuperar la dignidad lo primero que necesitaba era una ocupación seria.

Así imbuido de mi nuevo papel de novelista, pasé tres mañanas ahí encerrado. Pedí los periódicos recientes y busqué la historia de los náufragos que leyó Martínez Limón en el tren y que tanto había impresionado a la ciudadanía, si bien de modo transitorio. Me sentía completamente identificado con aquel capitán idealista, que habitó una isla desierta e inhóspita convencido de que la nación lo cobijaba. Lo imaginaba desesperado a veces, pidiendo insistentemente vituallas e instrucciones que sólo de tanto en tanto le llegaban, y después con el corazón vacío, cuando la respuesta de la patria quedó en blanco. Él solo en medio del guano mineral, sulfuroso, encargado de los soldados humildes, sus mujeres y sus niños, todos esforzándose por sobrevivir, mientras la guerra arrasaba con el resto del país. Y aun así el capitán se negó a recibir la ayuda extranjera, convencido de que la patria lo protegía; cobijo ausente, pues a duras penas había patria ya. Yo tenía miedo de que algo grande sucediera y me dejara a un lado, como a un personaje secundario en una novela, y de que como al capitán, en el momento de intentar mi salvación me devorara un animal extraño, un pulpo gigantesco o una aterradora y larga mantarraya. Pero la historia de los náufragos no terminaba ahí: luego venía la parte más pueril, cuando un soldado negro —el único hombre que no había sacrificado su vida en aras de la salvación de todos— se quedó en la isla y reinó sobre las mujeres, obligándolas a satisfacer sus instintos más viles. Este episodio de la historia me perturbaba profundamente: imaginaba al negro semidesnudo junto al mar, solicitando obediencia, satisfacción, a un puñado de mujeres hambrientas, y no podía seguir trabajando.

Me iba a comer cabrito en la calle de República Dominicana, que estaba muy cerca de la biblioteca, y después me regresaba al hotel a leer *Manon Lescaut*. Esa novela me la recomendó una guapa cajera de la librería de Madero, tras explicarle yo que me interesaban en particular los grandes clásicos, a los cuales deseaba emular en mi obra cuando venciera las infinitas dificultades interiores que me asolaban y me enfrentara por fin a la consabida página en blanco. Por lo pronto, no hacía más que empaparme en tan interesante historia, quedando a veces atrapado por ella y envuelto en lágrimas.

Traté de no pensar en Alejandra en aquellos días, y aunque me sentía solo, la compañía de las lecturas me bastaba. Me negaba a solicitar la compasión de Willie, pues me iba a regañar otra vez, a proferir el clásico y desagradable «te lo dije», y a repetir lo del micifuz de Alejandra Ledesma que fingí no entender y que tanto me ofendió. Porque la verdad, yo con tal de acostarme con ella, de penetrar con mi miembro a una mujer superior y ahuyentar las locuras que me venían a la mente con Mauro cada vez que lo recordaba, haría lo que fuera: ser su perro faldero o cargarle las maletas, me daba igual. Por otro lado, ella parecía confiar en la sensibilidad de mi alma y en mi desarrollo personal, si bien en el Junior Club me había llenado tanto de desconcierto. Quizá sólo sería digno de ella cuando llegara a mostrarle un capítulo de mi obra y la carne dejara de traicionarme. A veces pensaba en la posibilidad de que ella misma creyera que no me gustaba, o le avergonzara estar muy grande para mí. Ciertamente Alejandra no podía negar algunos años; quién sabe qué sorpresas ocultaría su fondo de satén. En todo caso, para mi experiencia y mi poca estima no podrían ser menos que gratas: las arrugas que me hubieran arredrado serían, en todo caso, las de mamá, y Alejandra no llegaba ni con esfuerzos a su ilustre edad. Estaba yo seguro de que de los treinta y cinco no pasaba. Cuando pensaba en esto me regañaba después, porque era demasiada pretensión de mi parte creer que ella me deseara a mí. En todo caso, cavilé, sería bueno mandarle algunas flores, para dar testimonio de mi rendición eterna y mi fidelidad.

Así pues, me personé un día a la salida de la biblioteca en la florería Versalles y pregunté a la encargada qué flores debía yo mandar para expresar un amor ardiente, cargado de urgencias. La muchacha me miró con simpatía. Me dijo que lo más común eran las rosas rojas, pero que algo en verdad muy elegante, que expresaba lo mismo y con mayores sutilezas, matices y recovecos, era un ramito de nomeolvides atado con una cinta color vino, guardado en una cajita de cristal como un corazón palpitante. Costaba tres pesos más, pero no me importó, por el contrario.

—Eso, eso —le dije a la señorita.

Luego escribí en una tarjeta: «Le ruego tenga compasión de un hombre desesperado que arde a sus pies». Y firmé «Arte», que era el nombre que ella me había dado. La muchacha me dijo cuando le pagaba que le gustaría que alguien como yo la quisiera tanto, y hasta abanicó las pestañas, pero padecía la pobre de una desagradable halitosis.

Llegó el inevitable jueves y me tuve que presentar en la oficina de Willie para ver los asuntos de Mauro. Su participación en aquella fábrica de lápices y anilinas le daba incontables dividendos, y me sorprendió saber por boca de mi chaparro amigo que Mauro, paulatinamente, había llegado a tener participaciones en varias empresas, y que en el medio de los empresarios de la papelería lo estaban empezando a llamar *el pulpo*. Yo sólo me pregunté si a tantas empresas correspondería igual número de Artemios vagando por la capital y reportándole sus utilidades, pero preferí callar. Me quedé sombrío, y Willie me preguntó seguramente de buena fe si me pasaba algo, pero fui tan torvo que acabó por ponerse a molestarme:

—¿A poco ya te dejó Mumú? —me preguntó con un insoportable tono ácido.

Levanté el brazo decididamente para pegarle, y él, como buen amigo, me contuvo:

—¿Pues qué te pasa, inspiración de mis boleros? ¿Ya hasta te vas a poner sabroso conmigo? Ahora mismo te calas el sombrero y nos vamos a tomar algo por ahí, porque lo que a ti te pasa, chato, no es por mi culpa. Estás errando el tiro, hermanito: yo te voy a ayudar a que se lo coloques bien a quien se lo merezca.

Y mientras yo trataba de protestar, pues no tenía ganas de tomar, ni de contarle a Willie nada de Alejandra, él me daba palmadas en la espalda y me decía:

—Ya, ya, mi cuate, aguanta vara que Willie te va a ayudar: para eso somos carnales, ¿no?

Yo me quedé pensando en *Los tres mosqueteros* y hasta se me quitó el enojo con Willie que la verdad, la verdad, era un santo: cualquier otra persona, de verme perder tan abruptamente los estribos, me hubiera mandado al infierno, pero él nada más me llevó a un bar que se llamaba El Molinito Inglés, donde servían cócteles americanos; un lugar luminoso, con unos vitrales de plantas y señoras encueradas que lo apaciguaba mucho a uno, pues las catacumbas que solían ser los bares sumergían por lo regular a los pobres ebrios en su infierno personal, más que ayudarlos a salir de él. Ya con unos tom collins en la mano, a punto estuve de contarle mis problemas con Alejandra, pero no me animé porque ya sabía lo que me iba a decir. En cambio le dije que me tenía desesperado estarme aguantando las ganas de estar con una mujer.

—Tú tienes a tu esposa —añadí—, a lo mejor ni me entiendes.

—¿Cuál esposa? —preguntó Willie distraídamente—. Ah, mi esposa, mis cinco hijos, ¿verdad?

Y se quedó mirando a la lámpara que adornaba la barra.

—Artemio, te voy a confesar una verdad: yo no tengo esposa.

Otra vez tuve ganas de pegarle. ¿Pues qué clase de persona era? Ya me las olía, pero caramba, no era justo que estando triste me dijera esas cosas. Luego se empezó a reír y me dijo:

—¿Ah, verdad?

Casi me lo creí, este Willie era una cosa tremenda.

—Ándale —me dijo sacando dinero de su billetera—, acábate tu biberón que nos vamos a Mecalpan otra vez. Pero hoy no te me vas a dormir, porque si no, chirrín chirrín.

En el camino, Willie me empezó a preguntar si yo había escuchado hablar del anarquismo. Después me explicó que en aquella casa, que a mí me había parecido un salón literario a la vieja usanza, se preparaba la redención mundial de las clases oprimidas.

—¿Y cómo será eso? —le pregunté.

—Muy fácil, compadre: empezamos sembrando la conciencia entre nosotros mismos, liberándonos de la pavorosa tutela del Estado represor y de los valores sociales establecidos, por medio del arte, la poesía, y la lectura de Marx, Engels y Bakunin. El grupo ha ido aumentando poco a poco; cuando seamos ya suficientes como para luchar contra el ejército nacional y rescatar a la población del capitalismo y la represión, nos organizaremos militarmente. Por ahora lo hacemos así nada más, a modo de seminario, y guardando en lo posible la clandestinidad.

Willie se quedó tranquilo después de decir todo eso, como si me hubiera explicado la mejor manera de arreglar un coche.

—Ahora, en cuanto a tu problema —continuó—, nosotros no creemos ni en la familia, ni en la religión, ni en el Estado; practicamos el amor libre a la hora en que se nos antoja, con quien se nos antoja. Es probable que alguna compañera tenga ganas y le caigas bien.

Eso hizo que se me subieran los colores a la cara.

—¿Y si no quiere? —le pregunté espontáneamente.

—Bueno, si no quiere, pues no.

Yo me quedé callado el resto del camino, un poco asustado porque había leído de los revolucionarios en los periódicos; su actividad me parecía, básicamente, comprometedora y peligrosa, además de muy lejana a mi personalidad, a mis intereses. Además temí por Willie y se lo dije:

—Pero Willie, ¿y si te agarran con una bomba en el bolsillo?, ¿y si te explota en el camino a donde la tengas que tirar? E insistí: ¿y tu familia?, ¿qué no te preocupas por tu familia?, ¿o qué de veras no tienes familia?

Willie me dio unas cuantas palmadas en el hombro y se sonrió.

—Ya, tovarich, relájate, que pareces palmera.

Yo iba muy preocupado: ahora, para colmo, además de tener problemas amorosos, viajaba con un agente de la revolución internacionalista proletaria y sabía Dios lo que me iría a pasar. Me preguntaba si éstos serían como los masones de San Gil, de quienes se contaba que para entrar a su círculo había que pasar por complicadas y sangrientas ceremonias. Para colmo, quedaba uno comprometido para siempre, nunca se podía salir. Era o la secta, o la muerte. Yo había pensado contarle a Willie de mi empresa novelesca, pero la verdad después de esto se me quitaron las ganas. Cuando llegamos a Mecalpan, hasta sueño tenía. Entramos a la misma casa de la otra vez, pero esta vez había sólo unas cuantas muchachas barriendo y limpiando la amplia estancia de piso de tablón. El gran comedor estaba cerrado. Del fonógrafo surgían trompetas y tambores tropicales. Willie preguntó por la señora Perla, y al contestarle las muchachas que no estaba, las reunió en una esquina y les dijo algo que no alcancé a escuchar. Todas ellas me miraron de reojo y se murieron de la risa. Luego hubo una discusión, se ponían de acuerdo. Yo miraba las tapas de los discos haciéndome el pazguato. Le había dicho a Willie que necesitaba una mujer por salir del paso, pero la mera verdad la que se me antojaba era Alejandra y se me hacía que cualquier chica que me hiciera el favor, con todo y la amabilidad de hacerlo así como así, por sus puras convicciones y sin cobrar un centavo, me iba a causar rechazo.

Al cabo de un rato, cuando ya había leído varias veces la biografía de Beethoven de uno de los discos, una de las muchachas se acercó a mí.

—Me llamo Lola. A que no te acuerdas de mí.

Yo sí me acordé; era la que estaba sentada junto a mí en la mesa.

—Ven —me dijo.

Me tomó la mano y subimos juntos por un escalerón de madera. Los pisos, la escalera, todo estaba pintado de amarillo congo, como la tlapalería de San Gil. Lola me señaló una puerta entre varias:

—Éste es mi cuarto, mira qué bonito.

Y me invitó a pasar. Un cuarto cálido a pesar de la altura de las vigas, con sus muebles de palo y sus almohadas bordadas con pajaritos del amor, y un ropero muy grande que olía a lavanda. Tenía un pequeño estante con libros. Yo estaba nervioso y me los puse a hojear, temiendo lo que haría ella mientras: *Los siete libros de la historia,* unos *Manuscritos económico-filosóficos, Así fue la revolución,* y al final, *La sombra sueña,* de Guillermo Fernández Betancourt. Ni siquiera había leído el ejemplar que me regaló Willie, embebido en mis preocupaciones. Ahora tampoco estaba en disposición de hacerlo, con el temor de que Lola se hubiera desnudado. Volteé rápido, y estaba muy tranquila sentada en su mecedora. Entonces empecé a leer un verso:

> *Tendida bajo los arcos,*
> *la sombra sueña de azul.*
> *La noche y su fino tul*
> *se ciernen sobre los barcos.*

98

Aquí me di cuenta de que Lola se había pasado a la cama, donde se reclinaba en uno de sus almohadones coloridos, entrecerrando los ojos. Yo seguí leyendo para arrullarla. Así, finita y delgada, tendida pura en su limpio lecho, se veía absolutamente inocente. Pero al cabo de unos instantes se levantó:

—¿No tienes ganas, verdad? —me dijo de modo franco.

—La verdad, no —le respondí.

Y no porque fuéramos a mancillar a Alejandra; puestos a ver las cosas, más bien Alejandra mancillaría con su volumen a esta criatura morena y angelical.

—Pues si sigues así —continuó Lola—, nunca vas a aprender; hasta yo tuve que vencer el miedo de la primera vez —añadió con una mirada particularmente incrédula e inocente que me dio miedo, como si hablara de algo inconcebible.

Le pedí que no dijera nada a Willie.

—Qué pena, la verdad es que sí estás guapo.

Luego se acercó, me acarició el cabello y me dio un bonito beso. Cuando estaba pensando en animarme y decirle a Lola que total mejor sí quería, salió abruptamente del cuarto, dejándome solo. Bajé para pedirle a Willie que nos fuéramos, pero a él lo estaban abanicando el resto de las muchachas, tendido en un sillón.

—¿Y por qué la prisa, chato, no quieres que te pague uno más?

Yo no entendía. Me esperé a que se animara a dejar esa postura de pachá tomando un agua de jamaica que me ofrecieron, y ya en el coche le pregunté:

—¿Cómo que pagar?, ¿no que las muchachas lo hacen porque les gusta?

—De algo tienen que vivir, pobrecitas —me contestó medio ofuscado.

VI

Llegó el día en que Freddy Santamaría me citó en los nuevos Estudios Continental, para que habláramos de la decoración de la nueva casa de Mauro. Los acababan de construir,
cerca de la avenida Chapultepec. Estaban tan lejos, que el taxista me ofreció incluso esperarme o regresar por mí:

—¿Qué tal que lo asaltan, joven? —me dijo.

Me dio mala espina. Yo pensaba que la maldad de la gente
estaba en función de lo que se le pudiera ocurrir, y entonces
aquel hombre me asustó, con el pelo que trataba de aplacar merced a las artes de la brillantina, la mano que ya debía estar graso-
sa de tanto pasársela por la cabeza, y aquella cabellera de cepillo,
que se alzaba de tanto en tanto en franca rebeldía como una
planta jubilosa sobre el respaldo rojo del asiento. Le dije que no,
muchas gracias, y me resigné a regresar a pie desde aquel lugar
tan lejano, sin protección alguna, si era necesario, convencido de
que ningún mal me alcanzaría si le cerraba de antemano la puerta principal: mi propia cabeza, cuya paulatina lobreguez me venía sorprendiendo desde que llegué a la capital.

Para llegar a los estudios, se recorría un boulevard soleado,
franqueado de magueyes y palmeras chaparras, hasta una larga

reja pintada de blanco. Yo creía que un estudio de cine era algo así como una gran casa de muñecas en la que los decorados se sucedían unos a otros: el rancho a un lado de la casa elegante, y junto a ésta, la mansión de los vampiros o el laboratorio del malvado científico. Pero no era así. Aquélla era una ciudad escasa de galerones gigantes y cerrados, alrededor de los cuales deambulaba toda clase de gente cargando bultos, muebles y aparatos por bonitas avenidas. Caminé embobado, procurando reconocer entre las muchachas con gafas oscuras a alguna estrella de las películas, pero en persona todo era muy distinto que en la pantalla, amén de que yo había visto muy poco cine —si acaso cuando en la feria de San Gil se establecía un cinematógrafo ambulante, o en esporádicos viajes a Tonalato— y los rostros de los artistas no quedaban impresos en mi memoria, de tantas preocupaciones que por lo común me aquejaban.

Pregunté a un joven como yo si sabía dónde trabajaba Freddy Santamaría, y muy amablemente me acompañó a una bodega que estaba ahí cerca. En su interior cargado de penumbra, polvo y frío, entre sofás de toda clase, mesas, momias, sarapes, tronos, sillas de montar y frascos de cristal, reinaba el decorador estrella del cine nacional. Con dedo perezoso señalaba este sillón, aquella rinconera, elegía unas cortinas y el barandal de unos escalones. Un asistente lo seguía, libreta en mano, anotando todas sus palabras; otro corría de un lado a otro y ayudaba a un señor gordito —quizá un mozo del encargado de la bodega— a cargar una torre de alfombras apiladas. Mientras sacaban un tapete verde claro, Freddy se sentó en un escritorio que hubiera podido ser el del conde de Montecristo. Se veía cansado. Era un hombre como de cincuenta años, alto, grande, paternal y de mirada clara. Vestía con suma elegancia; sus pantalones casi blancos relucían en medio del polvo de la bodega, como si fueran misteriosamente refractarios a él. Fue la primera vez en mi vida que vi unos zapatos de lona, y me quedé embobado mirándolos. Me espabilé al imaginar que Willie me diría algo así como «ya deja de mirarle los cacles y dile algo». Cómo hubiera querido que estuviera ahí mi amigo, que me presentara, y si era posible que él hablara y yo sólo mirara, igual que los niños que acompañan a un adulto responsable. Pero ya que esto no era posible, tomé aire, me arreglé el moño de la corbata y el sombrero, me acerqué al sujeto y me presenté, aclarando que era el primo de Mauro. Él hizo un gesto de agradable sorpresa. Era Freddy Santamaría un hombre de hablar pausado pero firme. Durante nuestra corta conversación vinieron dos o tres mozos a preguntarle infinidad de detalles, que si la pintura de un mueble iba mate o brillante, que si la protagonista podía teñirse el pelo de rojo. Qué barbaridad, hasta Lila Carmina, la gran estrella de cine, pedía permiso a Freddy Santamaría para pintarse el pelo; de ahí deduje que su poder era enorme. A mí sólo me dijo:

—Espérame un rato, y luego me llevarás a la casa para que la vea.

Ya era cerca del mediodía. Ese «me llevarás» suponía un automóvil en mi posesión; me dio terror decirle que no tenía uno, tanto respeto y miedo me inspiraba el personaje. Me prometí pedirle a Mauro dinero para comprar un coche y aprovechar las clases ofrecidas por Willie. Después tuve una idea clarificadora: pedí que me permitieran usar un teléfono y desde ahí le hablé a Willie y le expliqué mi situación. Él sólo se hizo tantito del rogar.

—Bueno, tú qué crees que soy yo, tu guía de turistas o qué.

—Por favor, camarada —insistí—, hoy por mí y mañana por ti. Luego te juro que hago lo que tú me pidas.

Así me prometió que en media hora estaría por mí. Viendo trabajar a Freddy Santamaría en un foro cinematográfico, me felicité de la idea que había tenido; aquel hombre parecía ser un genio que no aceptaba contradicciones o comentarios, más que del director, el fotógrafo, el productor y la estrella, a los que identifiqué gracias al muchacho que me había guiado a la bodega, el cual me ofreció una coca cola, quedándose junto a mí para platicarme quién era quién. Estábamos en un enorme galerón: en el centro de aquella inmensidad, una sala decorada más o menos como la casa de Mauro, con su escalera larga de caracol y su piso intermedio, flotaba iluminada por potentes reflectores. Todos corrían de un lado a otro, el asistente de Freddy ordenaba a otros ayudantes que colocaran la alfombra escogida hacía un rato en un pedazo de plataforma pegado a la sala, que retocaran la pintura de la pared, que enderezaran los cuadros. Todo el mundo gritaba, unos actores se dejaban empolvar por maquillistas diligentes y Freddy hablaba con un señor que, según me dijo mi nuevo informante, era el gran director Plutarco Gutiérrez, al que todo mundo tenía pavor:

—Cuando bebe, le da por correr a todos los extras y a los segundones. No es tan burro como para correr a las estrellas, pero igual las insulta en público; es un desastre.

—¿Y tú por qué no estás trabajando? —le pregunté a mi nuevo amigo.

—Porque yo no soy de esta película; yo la hago de caporal en un drama ranchero, pero se acabaron los billetes y tuvimos que parar. Igual tenemos que andar por aquí, por si el productor encuentra modo de que la terminemos.

Ese muchacho me cayó muy simpático, con su gesto franco y su palabra amable. Había en su actitud algo limpio, sin dobleces, que me identificaba con él. Se llamaba Ramón Navarro. Me platicó infinidad de chismes de las estrellas, me presentó a algunas bailarinas que pasaban por ahí. Tanto hablaba, que nos acabaron sacando del foro:

—¡Ya no estamos en las películas mudas! —nos gritó un viejo en tirantes, de bastante mal humor.

—Pobrecito don Rogelio —me comentó Ramón—, cuidaba unos estudios que se incendiaron hace poco, y se amargó.

Después me invitó a una soda; me explicó que esos estudios eran de vidrio y se habían quemado durante la filmación de *El pulpo humano*. Yo recordé la triste historia del capitán de la isla, del monstruo marino que devoró su vida de modo tan absurdo y se la conté a mi nuevo amigo, pero él me aclaró:

—Cómo crees, Artemio, el pulpo de la película es un tipo al que le gusta meter mano a las muchachas.

Quién sabe dónde tenía yo la cabeza. Al cabo de un rato llegó Willie:

—Eres muy famoso, compadre, nomás pregunté por ti y entré como por arte de magia.

Me quedé muy impresionado. Luego me dio un codazo y se murió de la risa:

—Tú todo te lo crees.

Presenté a Willie con Ramón, y como Freddy Santamaría tardaba mucho en salir, almorzamos en el restaurant. Así disfrutando de la vida con dos buenos amigos empecé a sentir una ligereza que francamente ya extrañaba. Hasta pensé que ya me debía estar volviendo moderno, pues habíamos tomado un par de rusos ciegos repletos de vodka en la comida, y no sentí la pesadumbre de la borrachera, ni las incertidumbres sombrías del amor. Estaba inclusive locuaz, al grado de que tras irse Ramón, con la promesa de volver a vernos, y acudir al llamado de Freddy Santamaría que ya había terminado, le presenté a Willie diciéndole:

—Mi amigo Willie Fernández es un experto en decoración.

Nada más para vengarme de todas las vaciladas que me solía hacer el chaparro. Freddy Santamaría no respondió nada;

caminamos a la salida y se trepó con toda tranquilidad en el asiento del copiloto del Chevrolet de Willie.

—Su nombre me suena —le dijo a Willie después de un momento—, ¿trabajó usted en *El anónimo?*

Y Willie contestó, sin dudarlo un minuto:

—Claro, yo era él.

Yo me sentía tan eufórico que hubiera querido hablar o cantar, pero no quería quedar como un tarugo, y preferí seguir el consejo que recibí cuando niño de no abrir la boca cuando uno no tiene algo bien preciso y urgente que decir. Willie y Santamaría se miraban de reojo en la parte de adelante, como no sabiendo a qué atenerse uno con el otro. Willie me preguntó dónde estaba la nueva casa de Mauro, y con algo de dificultad logré explicárselo, haciéndolo pasar obviamente por el edificio de Alejandra para mandarle mentalmente un beso. Yo había pensado que aquel día sólo iba a hablar con Santamaría de la decoración, pero era un hombre que iba al grano, y en mi atolondramiento no le había avisado a la señora Pontebello, como debí haber hecho, que pensábamos ir.

Cuando la señora Margot nos abrió la puerta, vestía una bata larga y acolchada de terciopelo rojo. Yo le presenté al decorador y le expliqué atrabancadamente que el señor Santamaría necesitaba ver la casa.

—Disculpe la molestia —añadí.

Ella puso gesto de contrariedad, pero Willie le besó la mano, se puso a sus pies, y le explicó que era devoto de los tapices de su primo, el afamado Tarcisio Montelongo que ahora acababa de descubrir una tumba en Uxmal. Viendo a Willie desplegar esa cortesía, cómo decía a cada quien lo más apropiado, e incluso cómo Freddy Santamaría se reía por lo bajo de sus ocurrencias, pensé sinceramente que yo quería ser como él, de todo corazón. Después presentó a Freddy Santamaría con tal tacto y consideración que lo hizo sentir un pachá, y a la señora Margot una burguesa privilegiadísima: ciertamente no me había equivocado al solicitar su ayuda. Willie acompañó al decorador a recorrer toda la casa ya casi vacía, y lo escuchó con gran interés decir cosas como «aquí vendría bien un placard de lino beige», o «cómo extraña uno los estrados coloniales». Mientras, le preguntaba por las películas que había decorado, los trajes de las estrellas famosas, o sobre su linaje ruso-alemán que ocultaba con aquel apellido prestado de su recamarera, pues en realidad se llamaba Friedrich Schritenbaum, y estaba en México desde la Primera Guerra Mundial. Yo los seguí de cerca, asintiendo a todo, y cuando llegamos al desván de techo inclinado, Freddy Santamaría me preguntó:

—¿Y qué género de vida lleva ahora su primo Mauro?, ¿ya no anda de bala perdida, verdad?

Le contesté que ahora mi primo llevaba una vida sobria pero señorial.

—Mire usted, señor Santamaría —me aventuré a explicar.

—Llámame Freddy —aclaró.

Tras lo cual continué:

—Mi primo es un hombre sumamente ocupado, pero no por ello deja de llevar una intensa vida social, con visitas muy escogidas, eso sí. Me expresó especialmente que él y el doctor Lizárraga querían hacer recepciones cuando vinieran a la capital.

Al escuchar el apellido del doctor, Santamaría puso su mano en mi hombro.

—¿Así que el doctor sigue ahí? Ay, Mauro. Bueno, qué le vamos a hacer —se fue diciendo, mientras cruzaba varios salones con andar de príncipe, la gabardina que se había puesto al salir de los estudios ondeando tras él como una regia capa.

Al borde de la escalera nos llamó:

—Vámonos, muchachos, que tengo que vestir cuatro sets y Arturo, si lo dejo, va a poner todo de verde. ¿Viste la alfombra que me sacó? Según él es gris. ¿Se imaginan lo que tengo que padecer? Un asistente daltónico. ¡Ay, Dios!

Willie lo alcanzó exclamando:

—Está visto, mi estimado Santamaría, que inclusive el genio carga su cruz.

La señora Pontebello nos esperaba en el salón con té y galletitas. Santamaría las rechazó de golpe diciendo que le hinchaban el bajo vientre, y Willie tuvo que aplacar aquella descortesía prometiendo que regresaríamos en la tarde.

—No deje que el té se enfríe —añadió.

Ella aprovechó para entregarme las llaves; el fin de semana mudaría sus últimas cosas, y si quería, podía venir el mismo lunes a ocupar la mansión.

—Voy a extrañar mucho esta casa; en ella ha transcurrido una enorme parte de mi vida.

—La dejamos con sus recuerdos, señora Margot —dijo Santamaría abruptamente—, pero no puedo gastar en ellos el dinero de la producción.

Le dio la mano y salió. Willie repitió su promesa de regresar. Ya en el coche, Santamaría me avisó que desde el lunes mandaría a su gente para empezar, y acto seguido me pidió una fortuna de adelanto que sin embargo estaba en la cuenta del Banco Suizo que me había abierto Mauro. Willie no se quiso meter en eso y se concentró mucho en el manejo; yo pensé que la mitad de lo que pedía también me hubiera parecido una fortuna. En realidad, no tenía manera de saber si aquel era un precio justo o no. No dije nada, pero hice un cheque con mucho cuidado, levantando la pluma cuando el coche daba tumbos en los baches; lo firmé y se lo extendí al decorador.

Después de dejarlo en los estudios, Willie me comentó:

—Dice Segismundo Freud que lo generoso quita lo estreñido. Por eso me vas a invitar a beber unos digestivos y ver unas encueratrices, porque con tanta señorita que has conocido hoy, te me vas a volver delicado.

Yo preferí cambiar el tema.

—Oye Willie, no es por nada, pero ¿no se te hace que la señora Pontebello está un poco grande?

—¿Para las galletitas? Yo creo que ya le dan permiso.

Este Willie era una bala. Nos reímos un buen rato de su ocurrencia y nos fuimos a la cantina La Ópera a tomar unos coñacs. En la calidez del apartado, mientras el atardecer entraba por los cristales, Willie me hacía preguntas sobre esto y lo otro, sobre Freddy Santamaría, la casa nueva, Mauro, el doctor, pero yo no podía concentrarme ni responderle: me volvió a alcanzar la melancolía, la voz de Alejandra y la inquietud de no volverla a ver se tornaron de nuevo el centro de mi preocupación. Menos podía hablar de Mauro y el doctor Lizárraga.

—Óyeme, Artemio —me espetó Willie de repente, interrumpiéndose—, desembucha qué es lo que te pasa porque te veo en ascuas, como diría Belcebú.

Me derrumbé sobre la mesa, y por fin, como decía él, desembuché: mi encuentro con Alejandra, el enamoramiento, la seducción, sus exigencias y sus raros rechazos.

—Sólo sufro, Willie; no he logrado nada más desde que salí de San Gil. Si no fuera por tu amistad sincera no sé qué haría.

Mi amigo se me quedó mirando, pidió al mesero un tazón de café y luego se quedó como pensando, viendo a la calle por la ventana. Empecé a notar que se le movían los hombros muy agitadamente, y a sospechar que se reía. Después dijo:

—Ay, Arte, qué vida la nuestra —burlándose del nombre cariñoso que me había puesto Alejandra, y que yo con total impudor le había confesado.

Yo me enfadé.

—¿Pues qué te pasa, qué clase de amigo eres que no te puede uno contar sus penas sin que te burles y te vuelvas ofensivo?

Unos sombrerudos que estaban en la otra mesa se voltearon mirando a Willie, como ofreciéndole su ayuda. Pero Willie los tranquilizó con un gesto de emperador romano, y luego hizo lo mismo conmigo.

—Mi querido y provinciano amigo: conozco a Mumú Ledesma desde que enviudó del capitán Raymundo Ledesma, el pionero de la aviación. ¿A poco crees que no le atraes?

—Sí —le dije.

—Que sus intenciones contigo son única y soberanamente pedagógicas.

Yo me comí unas cuantas aceitunas que había en la mesa de botana.

—Pues sí —continué.

—Ay, compadre, perdona que me ría, pero veo que te están manejando con un hilito, y tú nomás te desguansas y te dejas, cuando que en esas ocasiones más bien hay que ponerse duro y entrarle.

Me molestó que me estuviera albureando, pero él insistió:

—¿No te das cuenta, Artemio? Nada más te está probando... Caray, chato, te dije que te cuidaras de terminar de micifuz de Mumú Ledesma, y ahora te veo inscribiéndote a su club de tapetes. ¿Tú crees que quería verdaderamente que sacaras a una muchacha a bailar?

Uno de los sombrerudos de la mesa de al lado intervino:

—Pues claro que no, si nomás lo está provocando.

Y los otros añadieron: claro, claro.

—Hubieras sacado a cualquier muchacha —dijo Willie—, y verías cómo se iba a poner. ¿Verdad, muchachos? —añadió levantando su copa hacia la mesa de al lado.

Los de la mesa izaron los vasos y nos paramos a brindar. Luego nos sentamos de nuevo en el apartado y le dije, nervioso por andar mezclando mi vida sentimental con unos tipos desconocidos en una cantina:

—Oye Willie, te estás exaltando mucho.

—Claro que no. Tú lo que tienes que hacer es ir a su casa, y echártele encima, como un tigre.

—Si hasta lo acompañamos, vamos allá —se envalentonó uno de los sombrerudos.

—Mejor vénganse a la mesa, les invito unas copas —dijo Willie, precavidamente.

A mí ya me ganó la risa, me di cuenta de que la conversación no tenía futuro y al rato ya estaba brindando por Willie, por Mumú, y haciendo cola para jugar al dominó con los de la mesa de al lado, uno de los cuales se llamaba Melesio y venía de Tonalato. En medio del caos y de los vapores de la borrachera, me preguntaba cómo era posible que una mujer segura de sí misma, que gozaba de la fama y del aprecio de todos, tuviera que recurrir a estratagemas de quinceañera para probar mi devoción. Willie pasó el resto de la tarde dándome codazos y empujones para que me fuera a atacar a Alejandra cual tigre, como le gustó seguir diciendo, pero yo no era tan burro. ¿Cómo me iba a presentar oloroso a ron, a tequila, y a quién sabe cuántas cosas más, si no fuera para abusar de ella con violencia y resignarme a que después de eso jamás me quisiera? Mejor jugué dominó, gané algunas partidas, y esperé a que se fueran los sombrerudos; luego me despedí de mi amigo, tras ayudarle a pagar una cuenta demasiado elevada.

—Ay, Artemio, Artemio, hermanito —me decía tras darme un abrazo, mientras se bamboleaba con dificultades hacia su coche—, y no lo olvides ¿eh?, como tigre de Bengala.

Temí que se fuera a visitar a la señora Margot en ese estado.

—Willie, te me vas directo a tu casa —le grité—, nada de galletitas.

—¿Cuáles galletitas, compadre? Me voy a darles la merienda a mis niños.

Subió a su coche, arrancó y se fue. Yo preferí ir a meterme en la cama, y antes de dormir recé porque Willie de verdad se hubiera ido a su casa con su esposa y sus cinco hijos, en caso de que de veras los tuviera, pues a ese respecto concebía yo dudas de lo más serias.

La luz del día siguiente aclaró un poco mis ideas. Mientras miraba cómo llegaban a poner en el zócalo los listones y los adornos para el 16 de septiembre un montón de obreros muertos de sueño que se reunieron a tomar atole y pan dulce junto al asta bandera, decidí esperar pacientemente a que Alejandra respondiera al mensaje que le había mandado con los nomeolvides. Había sido un acto de desesperación, pero con él pude expresar lo que deseaba, y para mí era suficiente. Lo que me animaba era que no había rechazado las flores; quizá todo era cosa de insistir un poco más, buscando otro regalo que la subyugara. Antes, llamé a mi primo para explicarle el arreglo al que había llegado con Santamaría, y avisarle que el lunes siguiente tomaría posesión de la casa. En realidad, la explicación de Willie me había dejado tan tranquilo y seguro de mí mismo, que no esperé que Mauro se pusiera furioso por la cantidad exagerada que había entregado de adelanto al decorador.

—Tengo que hablar con ese Santamaría —exclamó—, por lo visto abusó de tu ingenuidad. Aunque francamente, si te mandé a la capital fue entre otras cosas a que se te quitara la cabeza de rancho, Artemio. Ya te imagino, Freddy pidiéndote las perlas de la Virgen y tú se las entregas; ten cuidado con lo que te vayan pidiendo, primo, no vaya a ser algo que de veras te haga falta después.

—Yo pensé que al existir la cantidad en la chequera, se la podía pagar —balbuceé.

Pero Mauro no escuchó, o no quiso escuchar. Pareció tranquilizarse un poco, y me dijo que lo volviera a llamar en cuanto estuviera ya viviendo en la casa, para ver qué problemas le encontraba, y cómo iba la decoración.

—A más tardar la ocuparé a finales de octubre; ahora no puedo viajar como pensaba, porque tengo un imprevisto, pero me volverás a llamar.

Todavía fui más torpe y sin preámbulos me atreví a pedirle permiso para comprar un coche con su dinero e írselo pagando de mi sueldo.

—Bueno, pero ¿tú qué te crees? —exclamó, y colgó la bocina.

Cabeza de rancho, tú qué te crees. Pues sí; ¿quién era yo para pedirle a mi primo cosas como si fuera su entenado? Si tan siquiera pudiese corresponder de alguna manera a su interés por mi formación, decirle que estaba estudiando, que aprovechaba en algo la vida en la capital... Tanta tranquilidad que había sentido al despertarme, y ahora de nuevo escudriñaba con angustia la calle de San Francisco desde la ventana; pasaba el general Caso con su comitiva, raudo en su Buick descapotable, entre la pequeña valla de soldados y gente que se formaba a su alrededor. Más allá, hombres y mujeres de todas clases, las señoras elegantes mirando las vitrinas de las joyerías, las dulcerías, los almacenes, entre jóvenes con cubremangas y tamemes llevando helados o cueros amontonados. Me pareció ver a Alejandra bajo el toldo rayado de la perfumería La Misteriosa, del brazo de un hombre corpulento. ¿Era su silueta inconfundible aquella que el hombre apretaba contra su cuerpo, eran sus labios los que el sujeto parecía estar a punto de besar cuando se inclinaba a hablarle? La sangre me hirvió. Abrí la ventana sin reparar en que me encontraba en paños menores para gritarle traidora, para que la capital entera se enterara, como yo, de cuánta maldad podía caber en el estrecho cuerpo de las mujeres, para exclamar al viento como el abate Prévost: ¡Oh, pérfida, pérfida Manon!

Pero de súbito la mujer volteó: no era ella. Cerré la ventana, bendije a Dios y me vestí. Cabeza de rancho, me dije de nuevo mientras me ponía la corbata: no soy más que un pueblerino. ¿Y si la muy pérfida se dedicaba ahora a reírse de mí con alguien de su círculo? Porque viéndolo bien, ¿qué podía saber del mundo Willie Fernández desde su oficina oscura y su puterío de anarquistas, si no era hablar floridamente y emborracharse? Yo no podía esperar ya a que Alejandra se dignara contestarme y tomé una decisión: iría a buscarla. Si ella no me correspondía de verdad, me regresaría a San Gil o me iría al fin del mundo. Aquí solo, de gato de Mauro, de nada me servía estar.

Tomé un taxi a la calle de Sonora, y esta vez me negué a platicar con el taxista. ¿Por qué siempre era tan amable, por qué siempre tan dispuesto a todo? Pagué y me bajé. Creo que ni le di las gracias. Pensaba rasgarme la garganta gritando el nombre de Alejandra hasta que toda la calle la escuchara, y así obligarla a abrirme, pero no fue necesario, pues la puerta del edificio estaba abierta. Sentí que al pasar por las misteriosas escaleras y galerías cruzaba los círculos del cielo, el infierno y el purgatorio, sin saber exactamente a qué correspondería el *flat* de Alejandra, qué me esperaría en él. Tras su puerta se oía un tango estridente: ¿era posible que oyera esa música con deleite una mujer que seguramente tararearía a Mahler? Y al aplicar la oreja a la puerta escuché risas, las risas de un hombre y una mujer que jugaban y se extraviaban en loco amor. Entonces pateé la puerta, la golpeé con toda la fuerza de mis puños, aunque no fuera mucha. Quitaron la música; el hombre tosió. Unos tacones corrieron a abrir: era la mucama que había visto las otras veces, pero desaliñada, sin su uniforme tan característico. Abrió la puerta sólo un poco, tratando de ocultar con su cuerpo la figura de un joven parecido a mí que fumaba sentado en el sofá, al cual le hizo un gesto para que se escapara a la cocina.

—¡Don Arte! —exclamó, y me pidió que la esperara.

Cerró de nuevo la puerta y yo la imaginé arreglando su desaguisado. Me puso de buen humor saber que era la mucama la que oía tangos en el salón de su señora. También pensé, mientras miraba las extrañas lámparas de bronce que coronaban el borde de las escaleras, que mi suerte pudo haber sido la de aquel joven; que quizá estaría más en mi lugar seduciendo criadas. Al fin la mucama me abrió, me invitó a entrar y me anunció que la señorita Ledesma había partido a una *tournée* a Campeche, pero que me había dejado esta carta. Después me dijo que estaba en mi casa, me ofreció algo de beber y tras mi negativa se retiró. Con que eso era, por eso no me había contestado. Rompí el sobre muy nervioso. Leí:

Perdona, amor, que haya debido irme sin poderte avisar. Regresaré en una semana, y espero encontrarte a mi regreso. Perdona a este corazón temeroso, que sabe lo que quiere decir, pero no sabe cómo decirlo, que arde al igual que tú, y al igual que tú se consume en el ansia de la espera y en las lágrimas de la incertidumbre. Tuya y sólo tuya, Alejandra.

Releí la carta un centenar de veces, creo, dando vueltas por la habitación, pensando que en todos los objetos estaba ella,

115

que en vez de Arte me decía Amor, que en vez de pedirme como una celestina que sacara a bailar a una muchacha cualquiera, me ofrecía por fin su alma superior y su cuerpo de mujer. La imaginé cubierta de telas transparentes, multicolores, apareciendo en la puerta del comedor, extendiéndome la mano, abrazándome, dejándome besarla. Hacerlo iba a ser como saltar un precipicio hasta la otra orilla, como escalar un pico nevado, como vencer una guerra, como ser rescatado de una isla desierta. Tuve la fantasía de que Alejandra y yo nos enroscábamos cinco, seis veces mientras recorría la casa, en el sillón, en el tapete bajo el piano, cubiertos con su mantón rojo, y después ya propiamente en su cama, junto a una enorme cabecera de madera rojiza que tenía labradas muchas flores y unos faunos. Demudado, sumergido en un éxtasis desconocido para mí, físico y también espiritual, pues jamás me había correspondido una mujer así en alma y ya casi en cuerpo, me dejé caer agotado sobre la colcha púrpura, que olía a quién sabe qué esencias delicadas e incitantes, quedándome dormido en medio del silencio y del tic tac pícaro del reloj de pared que atestiguaba mis desvaríos, hundiendo mi frente en las almohadas forradas de seda como en el seno blando de la mujer.

Desperté media hora después, al escuchar gritos y jadeos provenientes de la cocina, donde la mucama, creyendo seguramente que yo me había ido, daba rienda suelta a sus ardores con ese joven que bien podía haber sido yo, de no ser por la ropa distinta, por el destino que a unos favorece y a otros hunde o paraliza en la misma situación por toda la eternidad.

Casi no pude regresar al hotel, del gentío que inundaba el zócalo y las calles aledañas: los puestos de fritangas de lo más diversas, de pulque, aguas frescas y juguetes, junto con los juegos de feria, contrastaban con los empistolados que se ponían a lanzar tiros al cielo para celebrar la paz añorada durante tantos años, y que el general Caso había establecido en la patria toda como rígido corsé corrector de una postura inconveniente. A punto estuve de tomarme un pulque de guayaba en la esquina de Madero y Góngora, y de lanzarme locamente a celebrar mi triunfo amoroso entre la multitud apretada, pero me contuve. Ya eran muchas las borracheras de esos días, mi complexión escuálida se iba a resentir. Por otro lado, era imposible estar más ebrio de gozo y de loca exaltación de lo que ya estaba. Decidí meterme a merendar a un café de chinos, donde esperé pacientemente a que diera la hora del Grito, tan sólo para ver al general Caso salir al balcón a festejar con el pueblo. Me tomé unas enfrijoladas con mucho queso chihuahua y un agua de tuna, además de una concha de chocolate, mientras escuchaba a unos españoles en la mesa contigua discutir a gritos y dar manotazos en la mesa. Se peleaban por ver si se dejaba entrar a los rojos al país. Unos decían que sí, otros que no. Habría que ver lo que decidía el general Caso, y a eso se iba a plegar toda la ciudadanía. Yo mientras trataba de comenzar una carta de amor, pero tanta discusión me lo impedía, de modo que me fui al zócalo, atestado de niños y de gente gritona que se correteaba en la oscuridad. Un bonito despliegue de soldados bien firmes protegía la entrada al palacio de Gobierno. Me fui a la catedral a comprar una veladora y ofrendársela a san Eulalio, nuestro santo de San Gil McEnroy, agradeciendo así mi buena suerte, cuando el silencio se hizo de repente y unas luces potentes iluminaron el balcón presidencial. El general Caso salió, junto con su esposa. Atrás lo coreaba la comitiva de siempre de secretarios, subsecretarios y guardias bien pertrechados. Cómo relucían sus medallas y sus bandas de colores, cómo brillaba el collar de diamantes que traía puesto la señora Caso, que desde la catedral se le veía relumbrar sobre el vestido de terciopelo azul. Cuánta seriedad, cuánta apostura. El general tomó entonces el listón de una gran campana colgada de una trabe bien a propósito para la celebración y, sacudiéndola con vehemencia, gritó vivas a México, a los héroes que nos dieron patria, a la independencia, y no dijo abajo los gachupines como solía hacer el presidente municipal de San Gil. Fue un momento muy brillante y emotivo, y la multitud coreó sus consignas con emoción. Sin embargo, pensé, el general Caso estaba lejos de su amada Blanca; para él la fiesta no era igual que si ella lo acompañara. Por lo menos eso creí yo, mientras aprovechaba el estruendo y el anonimato para gritar viva Alejandra con lágrimas en los ojos en medio del fragor patrio.

Después del griterío me animé a regresar al hotel. Cuántas cosas me habían pasado, todas buenas, aquel día. Más de las que solían habitar mi vida antes de que el destino la cambiara de golpe. Entonces una carta de mi madre equilibró tanta dicha inmerecida:

> Querido Artemio, hijo de mi alma —decía—, a tu hermano Abundio lo corrieron de la fábrica. No hizo nada malo, no te preocupes. Fue un simple recorte de personal. Sacaron a cien. ¿Podrías enviarnos una mensualidad más alta, siquiera para capear la tempestad? Yo sé que no le negarás nada a tu madre,
> que te quiere,
> Elisa.

Abundio era el menor de nosotros y en todo siempre le iba peor que al resto, no sabía yo por qué. Aurelio y Bernardo se habían ido a Guatemala, y mal que bien lograban vivir sin causar molestias a mi madre. Yo, que tenía un buen puesto en la fábrica —para el promedio de San Gil—, estaba ya en la capital triunfando. Y Abundio era el único que... Pero bueno, ¿qué importaba Abundio si todo era cosa de enviar el dinero? En todo caso, lo podía traer de ayudante cuando lograra yo una mejor posición, cuando Mauro me diera un puesto más fijo, que no fuera como el que tenía, alternativamente de entenado y secretario; en cuanto al dinero, no había ningún problema. Le escribí rápidamente a mamá un telegrama para que no se preocupara, lo mandé con el servicio exprés y me dormí sintiendo otra vez las sábanas satinadas de Alejandra en mi piel áspera y macilenta.

VII

Con qué gozo transcurrieron para mí los siguientes días; cuántos planes hice que ya no me concentraba para pensar en mis deberes. Me iba a la biblioteca y sobre los periódicos húmedos babeaba mirando las enormes paredes amarillas, la cúpula de cristal con sus ángeles, sus querubines que en cada instante me decían lo logras, Artemio, mal que bien progresas, y parecían tocar para mí sus trompetas de oro, sus arpas de cristal. Los rostros solemnes de las estatuas de próceres y santos que se inclinaban sobre los gigantescos anaqueles de madera oscura, violada con dignidad por la polilla, me recordaban mis responsabilidades con Alejandra, similares a las de un caballero medieval con su dama: respetarla siempre, dedicarle en mi alma todos mis afanes, todas mis empresas, incluida la novela de los náufragos, tan pronto la comenzara de verdad.

Había sido para mí una gran enseñanza ser testigo del encuentro fortuito de la mucama con su novio, y percatarme de que exteriormente en nada diferíamos él y yo. Llegué a la conclusión de que era el destino el que decidía la vida de los hombres y no al contrario: también pensé que si acaso Mauro ocupaba un trono, por así decirlo, sobre los demás hombres, no se debía sólo a sus buenas características, es decir a su porte y sus maneras. Tampoco debía únicamente ese encumbramiento a la oportunidad de haber estudiado, ni a aquellos ojos azules tan indispensables para darse a notar en un país como éste. Era el esquivo dios del azar quien tenía la última palabra sobre la suerte de los humanos, y el que ahora por capricho hacía que me amara alguien. Me sentía eufórico, pues mi experiencia en el amor se limitaba justamente a ser el que ama, el que desea, y nunca aquel espejo de devociones tan abstractas como infantiles me había devuelto mis miradas suplicantes. Era como si el mismísimo Dios se me hubiera manifestado, como si presenciara un milagro y no pudiera convencerme de que no era un sueño, de tan irreal.

Con la emoción escribía y escribía, sí, pero puras cartas a Alejandra, cartas que atesoraba como si ya fueran un momento sagrado de nuestra relación; la llamaba prenda, amor, capricho, y moría sólo porque llegara el día de su regreso estrujando su carta en mi pecho, ya que la había pegado cuidadosamente con cinta adhesiva a la piel que casi encima del hueso protegía mi manso corazón, pues por más que embarneciera me faltaban, como siempre, algunas carnes. En medio de toda esta exaltación, mis náufragos esperaban en su isla tórrida y vacía alguna palabra, una página mía sobre ellos, y Mauro me regañaba por teléfono sin cesar: le había rendido las cuentas descuidadamente, cometiendo errores, pagué una cuenta del hotel que estaba mal, sin revisarla previamente, y, pecado mayúsculo, locura del amor que arrebata cualquier resto de sentido común, pedí a Willie que me acompañara a comprar un bonito Packard, como el que había visto a la entrada del hotel en una ocasión, creyendo que era de Alejandra. Lo elegí azul oscuro, elegantísimo con su raya beige, y después de andar en él por la amplia avenida de los Insurgentes, donde Willie me dio unas clases de manejo que le causaron miedo y risa, me terminé por comprar una gorra de capitán de barco... ¡lo que diría Alejandra cuando me viera así! Por mi parte, pensaba llevarla en coche hasta la mismísima Cochinchina, si era necesario, al Congo Belga, o al lejano imperio austrohúngaro, donde reinaban el arte y la sensibilidad, según había leído alguna vez en un viejo libro perdido en casa de mi primo. Mauro, como dije, se enojó; después me preguntó cómo era el coche, y ya que se lo describí, me recordó que era de su propiedad, pues había osado comprarlo con su dinero. Finalmente, me advirtió que si le hacía el menor rasguño, él me rasguñaría a mí en alguna parte equivalente. Harto de sus regaños, perdida la brújula, le dije humildemente a mi primo:

—Mauro, por favor, asígname una mensualidad; así sabré yo de cuánto puedo disponer para mis propios gastos sin que tú te molestes por todo lo que hago.

Le conté enseguida del despido de mi hermano Abundio y los apuros económicos por los que pasaba mi mamá. Él me respondió que lo iba a pensar, y en algo pareció haberse arrepentido de humillarme tanto porque me pidió que en octubre, cuando fuera a buscarlos a él y al doctor Lizárraga al aeródromo, lo hiciera en ese coche tan bonito que había comprado.

Mientras tanto, llegó el día convenido con la señora Margot para ocupar la casa; la llamé, y ella me pidió que esperara hasta la tarde. Así lo hice, cuidándome de llevar a Willie que tan buenos cumplidos le había hecho, y de pasar por la casa de Alejandra para ver si estaba abierta su ventana. Ya le había contado a Willie, durante las clases de manejo, mi visita a la calle de Sonora, y lo que había encontrado: la carta, la mucama con el novio, omitiendo por supuesto mi delirio en su lecho, la locura que se apoderó de mí. El edificio se veía tranquilo; vimos, eso sí que fue una novedad, salir a unos vecinos, una pareja de edad y de carnes desarrolladas, y Willie me sugirió que entráramos a visitar a la sirvienta. Yo recordé a las muchachas de la casa de Mecalpan y me dio la impresión, por decirlo elegantemente, de que sus gustos eran populares. No, si yo la verdad me sentía a ratos culpable y confundido de andar saliéndome de mi ámbito, de aspirar a tanto, pues veía a Willie siempre conforme con su situación, sin tener que mudarla para conocer marqueses cuando le era necesario y decirles justo lo que hubieran querido escuchar. Claro que eso se llamaba de otro modo, pero no iba yo a moralizar sobre un hombre tan inteligente que en la lucha por la vida no hacía más que desarrollar las habilidades que Dios le dio. El caso es que cruzamos el parque; yo me acordé al ver el lago con los patos y la fuente de mis primeros encuentros con Alejandra, y me llené de emoción. Decidí que le iba a escribir sobre ello una bonita carta, en la que evocara a la estatua de los cántaros para describir su figura, su generosidad, y las ganas que ya tenía de abrazarla. Luego pensé que aquello se podía entender muy mal, como una vulgaridad; mejor me estacioné frente a mi nueva casa, si se podía decir así.

La señora Margot estaba elegantísima esta vez, enfundada en un gran abrigo negro con cuello de chinchilla. Cubría su rostro trágico un bonito velo que colgaba del sombrero, y no fue largo el trámite en que me explicó los detalles prácticos de la luz, el gas, y algunas reparaciones que por los muchos años de la casa se hacían ya necesarias. Willie guardó silencio sólo al principio, pero ya cuando la señora Margot se dispuso a salir y le echó a la casa un vistazo bien melancólico, como el de una princesa que dejara a unos verdaderos patanes, a un pedazo de escoria, el castillo de sus sueños, el palacio donde había bailado con su príncipe azul en álgidos pisos de mármol, mi amigo exclamó que le dolía en lo más profundo verla así, y con maneras delicadas la indujo a sacar de su ronco pecho lo que tanto la abrumaba. Esto era, según ella nos confió finalmente, que su hermano había perdido unas propiedades en el hipódromo y le hacía falta dinero.

—¿Y su hermano vivía aquí con usted? —le preguntó Willie con descaro—, ¿qué usted nunca se casó?, ¿qué ningún baboso, con perdón, se dio cuenta de lo que tenía enfrente?

La señora Pontebello buscó en su pequeño bolso de cocodrilo las llaves de su automóvil y nos dijo que ésta era la casa familiar que les habían heredado sus padres a su hermano y a ella.

—Ahora nos vamos a vivir a Santa María la Ribera, a una casa más pequeña, pero dice Toño (Toño era su hermano) que no está mal. A mí me hace sentir como que me voy de viaje a otro país. Le ruego —añadió mirándome a los ojos con sin igual intensidad— que cuide usted esta casa como si hubiera nacido en ella. Salude por favor a su primo de mi parte y a la señorita Ledesma.

Luego nos dio una mano indiferente que Willie besó con arrobo, y salió taconeando firmemente por el mármol blanco de la entrada, regalándonos de despedida el eco de sus pasos.

—Qué mujer magnífica —comentó Willie—, qué cargada está de señorío y tragedia, todo a la vez. A veces las mujeres nos superan de una manera insoportable, chato, yo no sé qué haría en un cuarto con ese mujerón.

Luego lo pensó:

—Bueno, sí, sí sé, para qué me hago pato, ¿verdad?

Le sugerí que le enviara a la señora Pontebello su libro de poemas y que comenzara por conquistar su espíritu, visto que la había dejado plantada el otro día con sus galletas.

—Oye, muchachón, desde que Mumú te ama, ya hasta das consejos; por fin aprendiste algo sobre el ingrato amor, hermanito.

—Faltaba más —le contesté, orondo, palmeándome el bolsillo del traje que abrigaba mi carta.

Luego recorrimos la casa, ahora sí vacía del todo. Me sentía perdido en el universo; el caserón era tan grande como las bodegas de la fábrica de San Gil McEnroy y estaba igual de húmedo y helado. «Aquí podemos hacer unos pachangones bárbaros», exclamaba Willie, y practicaba pasos de cumbia y tango en la duela del comedor.

—¿Te imaginas si hacemos una gran fiesta y sólo invitamos puras mujeres?

Willie a veces exageraba. Le pedí que en vez de soñar sueños guajiros, me hiciera favor de ayudarme a decidir cuál sería mi cuarto. Una a una visitamos las habitaciones. La principal —que era enorme— sería, como era obvio, para Mauro. Al ver la tina rosa grande, en forma de concha, que se erguía en una plataforma adentro del baño, no pude menos que recordar mi salida de Tonalato y sus razones, pero eso era algo que a Willie jamás le confesaría, no tanto quizá por preservar la reputación de mi primo, que empezaba a sospechar estaba cargada de sobreentendidos, sino por evitar que al narrar la escena se me saliera a mí una inflexión inquieta, un rastro de la fascinación que me había causado, y que luchaba diariamente —el romance con Alejandra Ledesma incluido en esta lucha— por sepultar. Tenía aquella habitación un amplio balcón con terraza que daba a un jardín interior plantado de pasto y camelias, el cual involuntariamente pensé le convendría a Mauro, por si acaso necesitaban él o alguna visita escapar volando sin rasparse demasiado la espalda.

Willie me insistía en que aquella habitación de monarca ruso debía ser para mí:

—Al menos gózala mientras no viene tu primo, tráete aquí a Mumú, llénale la tina de burbujas. O si no te animas, préstamela, camarada. Invitamos aquí a unas muchachas y verás qué sabroso lo pasamos, organizamos un sarao indochino. Y tú te quedas afuera, por marsupial, por puritano. La verdad es que pareces menonita, chato, en serio.

Este Willie era incontenible. Le insistí en que antes de que llegara Mauro, trabajaría aquí el decorador, de modo que no había tiempo ni lugar para pachangas. Y que yo debía decirle a Freddy Santamaría cuál cuarto era de quién, para que lo habilitara según su personalidad. Junto a la habitación de Mauro había otra que también estaba regia, de esquina, con unos vitrales geométricos de faunos que dominaban toda la calle de Michoacán. Tenía un muy varonil vestidor de pura caoba, con entrepaños especiales para cada camisa y corbateros plegables. Y Willie, claro, me lo sugirió.

—Quédate en éste, galán; está para Rodolfo Valentino.

Yo sabía que aquella habitación era para el doctor Lizárraga y no me animé a explicarle a mi calvo amigo este último hecho.

—Mis ronquidos son de un estruendo espantoso —le empecé a contar muy seriamente.

Luego inventé que mi familia en San Gil me confinaba a un cuarto aparte para que rugiera a gusto. Yo sé que él no me creyó, pero ni modo. Me dijo que así, rebajándome solito, jamás iba a progresar.

—Tú eres de los que piden permiso para todo, ¿verdad, compadre?

Del otro lado de la escalera había un par de cuartos regulares y un salón para biblioteca; uno de esos cuartos me pareció ideal para mí, amplio, con su baño, su ventana que daba a un patio interior, el papel tapiz de rayas blancas y la alfombra color vino. Un cuarto de visitas, que no dejara de recordarme mi condición; con ese espíritu espartano, estaba seguro de que no se me subirían los humos: ya Mauro cuando llegara me diría bien qué era yo en la vida. Si es que no me había escapado antes con Alejandra.

Eso lo había pensado desde que la señora Margot me dio las llaves: ¿invitaría a Alejandra a visitarme a un hogar en el que al menor descuido podía resultar que yo era el mayordomo, o el amo de llaves?, ¿toleraría Mauro mis relaciones con una mujer de su propia clase, por más que los lazos de sangre pudieran contribuir a mi relativa elevación?, ¿qué le podía yo ofrecer a Alejandra Ledesma? Con la exaltación romántica de aquellos días, había relegado a otro momento este tipo de conjeturas de carácter práctico, que sin embargo me llovieron encima, cuando Willie me dejó solo en la casa. Mirando los mosaicos blancos de la cocina desierta, orlados de azul marino, mientras buscaba cómo hacerme un café, me hablé en los términos más duros. Está bien, me dije, llega Alejandra, corremos el uno a los brazos del otro, es posible que rodemos durante horas en el piso, presas de una pasión incontrolable, y que lleguemos al final luminoso del amor. Después fumamos un cigarrillo, oímos a Prokofiev, nos contamos las penas, los miedos, las ansias de estar juntos. Quizá hasta lloramos. ¿Y después? Pasarían las horas, los días, y Alejandra me iba a pedir, de menos, que le mostrara la casa, que la llevara con Mauro, que tomara las riendas de nuestro amor, como suele corresponder a un caballero. ¿Y yo qué iba a hacer? Si tan sólo Mauro no viniera en octubre..., si me dejara tiempo para sumergirme con Alejandra en el baño de espuma, como decía Willie, y después, quizá, ahogarme en las burbujas cuando la viera perdida, otro gallo me cantaría...

La noche cayó tras los altos cristales desnudos del salón. Había quedado de telefonear al hotel para que me enviaran mis baúles, que descansaban empacados en la recepción. Yo que había llegado a la capital con una simple maleta, tenía ahora una buena colección de trajes y zapatos que cuidar, amén de una librería bien surtida. Pero me daba miedo quedarme solo en medio de aquella especie de buque abandonado por sus dueños, presas de una catástrofe financiera. Vagué no sé cuánto tiempo entre sus mármoles, cristales y columnas, lleno de miedo, de soledad, como el capitán de la isla cuando llegó y tuvo que construir casas en medio de la nada, plantar palmeras, hacer de aquella extensión abandonada a las olas un nicho humano. Ese capitán, por cierto, tenía un apellido francés, como de pastelería, que lo destinaba a una vida más urbana y más frívola; el destino que le esperaba parecía un castigo, una gloria pequeña y árida, a fin de cuentas militar. Era esa isla, y ahora mi vida, una casa vacía en medio de la sombra, esperando que el sol volviera y perfilara sus personajes y acontecimientos. Llamé entonces a Freddy Santamaría desde el vestíbulo, tiritando de frío, porque no me había traído absolutamente nada, ni una manta, para habitar la mansión. Por suerte el decorador estaba en los estudios. Me dijo:

—Mañana mismo están ahí los carpinteros y los tapiceros, ya les dije lo que tienen que hacer. Yo llegaré como a las doce, porque hoy vamos a terminar muy tarde y debo dormir aunque sea seis horas, Abdulio. Te veré entonces.

No me animé a corregir mi nombre; en realidad quería pedirle que me invitara a los estudios a verlo trabajar con las estrellas, pero me dio vergüenza. Pensé en regresar a mi hotel, mas ya había pagado la cuenta y Mauro se hubiera enfadado de que abriera otra por sólo una noche de imprevisión: no iba a explicarle que el enamoramiento y las reflexiones me volvían inútil para la vida práctica, si justamente me había encomendado que le resolviera ese género de asuntos. Encontré, dando vueltas por la penumbra, encendiendo y apagando luces conforme la recorría, un catre y un armario en el cuartito del jardinero, al fondo del jardín. Alejandra iba a llegar en tres días: ¿sería capaz, como lady Chatterley, de entregarse a mí en semejante alojamiento? Me acosté en el catre, pero el frío calaba; no me iban a traer mi ropa a aquellas horas y no pensaba yo pasar la noche tapado con mi nuevo traje de pelo de camello, mirando de lejos aquel limbo triste y elefantiásico.

Así que tomé el coche y enfilé para Mecalpan. Me había dicho Lola que no estaba feo; quizá aceptaría que corrigiera yo mi actitud, que me animara a hacerle lo que desde un principio ella había pensado y me dejaría pasar la noche en su cama adornada y fresca. Casi no lo dudé, preocupado más bien por no perderme y recordar por dónde se había ido Willie las veces que me había llevado. Me pasé y fui a parar a unas rancherías cerca de San Ángel; tuve que regresar al camino principal y a punto estuve de renunciar a mi plan y volverme a México al Gillow, o a cualquier otro hotel, cuando vi, iluminada con luces de colores, la placita de Mecalpan; había en ella una feria, seguramente por el 16 de septiembre. Anduve a paso de tortuga entre una multitud de chamacos que me miraban, se asomaban por mi ventanilla, me hablaban y metían la mano al coche para tocar el claxon. No conocía el nombre de la calle que buscaba, de modo que me resigné a dar vueltas como toro de fiesta por los alrededores de la plaza, en medio de las banderitas y el olor de la fritanguería y los cohetones. Cuando estaba a punto de seguirme hacia unos pastizales, vi la calle a la que siempre me llevaba Willie, y la casa blanca, iluminada por un farol tristón que parecía cumplir su trabajo con harta pereza. Gracias a Dios recordé la contraseña y me dejaron entrar.

Mi sorpresa fue mayúscula al encontrarme a Willie en el comedor, merendando buñuelos como todo un paterfamilias, rodeado de Perla, las muchachas, y un sujeto trajeado de casimir gris, casi calvo, de porte empresarial. Escuchaban en la radio un poema, dicho por la voz inconfundible de Salvador Novo. Por primera vez vi que mi amigo se incomodaba y perdía la seguridad, tanto que en vez de recibirme, me lanzó un escueto «¿qué haces aquí?, ¿qué se te ofrece?» Para mí, la cosa se puso negra de tan diáfana: Willie vivía en este burdel, si no es que lo regenteaba él mismo, y lo de su esposa y sus cinco hijos era, como ya antes había sospechado, pura baba de perico, al igual que lo sería el alegre grupo de arte y anarquía que cantaba y leía poemas bebiendo tequila a la luz de las velas.

Mi primera reacción fue ofenderme como mujer, porque mi amigo me había engañado sobre su vida. De modo que pensé en hacerle una escena, en retarlo a golpes o burlarme de él con sarcasmo y crueldad. Luego medité, mientras estaba ahí parado mirándolos a todos con pasmo y soportando que me escudriñaran a su vez con la retina gélida, en que a fin de cuentas Willie tenía todo su derecho de vivir como quisiera y decirme lo que le pareciera conveniente, al igual que yo lo hacía con él. Además, no era yo un tipo especialmente dotado para el sarcasmo, si acaso para el albur, y eso cuando lo empezaba otra persona. De modo que respondí escuetamente que venía a buscar a Lola.

—¿Cuál Lola? —pasó a preguntarme la señora Perla.

—Una que se llamaba Lola —contesté, sin moverme de mi lugar.

La verdad, empezaba a temblar de miedo, porque nunca había visto a Willie así de serio, como si no me conociera. En ésas, Lola bajó por la escalera pintada de amarillo.

—La busco a ella —señalé rígidamente, asustado de pensar en que ella, como Willie o como Judas, tampoco me reconocería.

Pero Lola me salvó. Así de misteriosa y escueta como la pasada vez, extendió la mano y me dijo:

—Ven.

La seguí casi corriendo por el escalerón y al llegar a su habitación me le adelanté, la jalé del brazo para que se metiera y cerré la puerta. Después me senté en la cama.

—¿Qué le pasa a Willie? —pregunté a Lola directamente—, ¿por qué se enoja de que yo venga?

—No le gusta que llegue gente mientras merienda —me contestó ella—. Además hoy lo viene a visitar un empresario de carne enlatada y dijo que quiere que esto parezca un cuartel, no un burdel. Lo va a convencer de que nos produzca un bailable. ¿No nos ves a todas vestidas de chinas poblanas?

Yo me animé a inquirirle qué diablos era Willie de ellas, a fin de cuentas, si su padrote o qué.

—Somos sus entenadas —me dijo Lola—. Claribel y Mónica sí son hijas de doña Perla. Lucinda, Guadalupe y Sonia son de Ecatepec. Las otras, no sé.

Mientras hablábamos así, ya me había quitado la camisa, me daba besos aquí y allá, y me estaba poniendo de lo más nervioso. Cuando dejé de poder hablar, cosa que al parecer le aburría, me agarró la mano y la guió entre los pliegues de su falda de china poblana y sus enaguas blancas: abajo no traía nada puesto. No me pude quejar de lo que siguió y hasta me dio risa lo que me dijo Lola después:

—Qué bueno que te animaste. El otro día me dejaste con las ganas.

Con el animal satisfecho, que no el corazón, me fui quedando dormido en medio del cansancio, viendo su silueta fina y desnuda lavarse en el lavabo y vestirse, entre los vapores del sueño. Desde algún lugar lejano, una parte de mí preguntaba si debía irse o bajar a hablar con Willie, y otra parte le respondía como eco que no, que para qué, que si a fin de cuentas había yo ido a dormir allá, pues que durmiera.

Algo se sentó en la cama y aquel peso inesperado me despertó, así como la luz refulgente que se echó sobre mí como una fiera cuando abrieron las cortinas.

—No me lo vuelvas a hacer, camarada, porque me pongo nervioso —decía la voz de Willie.

Y yo dormido le contestaba:

—Está bien, compadre, lo que tú quieras, hermanito. Yo pensé que era un lugar público.

—Cómo vas a creer —me respondió, ofendido—. Mira, Arte —y aquí noté de nuevo la mofa que hacía de cómo me llamaba Alejandra—: tú cuando quieras puedes venir, ya lo sabes. Sólo te pido que me avises, es todo. Don Braulio Nava nos iba hasta a producir una película con las muchachas. Se quedó muy confundido de que pudiera entrar cualquiera a la casa. Él es muy respetuoso de la moral cristiana, muy burgués. ¿Qué no ves que necesito dinero? No vivimos de la pura revolución, es lo malo. Así, sin recursos, nunca vamos a poder formar una célula, ni mucho menos un cuadro de partido, por no decir un sector. Y cuando se me había ocurrido la luminosa idea de convencer a don Braulio de que éramos una bonita compañía de baile, apareces tú buscando a una de las muchachas. Le tuve que decir que eras un primo mío y estabas afectado del cerebro. Pero no sé si me creyó, ¿entiendes?, ése es el detalle.

Ya no le pregunté si vivía en esa casa, o no.

—Ahora baja —añadió—, porque Azucena hizo chiles rellenos y nopales asados, y Lola te compuso un poema.

Me lavé un poco y bajé a desayunar, temiendo que Lola se hubiera enamorado de mí por lo ocurrido en la noche entre nosotros, que yo la verdad había tomado sólo como un buen servicio, o bien como una especie de tentempié o cena ligera. Soporté pacientemente que todas aquellas muchachas me miraran muertas de la risa, mientras Lola se trepaba a una silla y empezaba un cántico en el que presentaba a nuestros cuerpos como dos ejércitos en batalla; enseguida se puso a describir, con una minuciosidad aterradora, todas las partes de mi persona, incluida aquella que tanto orgullo me daba, pero sólo en lo privado. Era como si hubiera pasado toda la noche nada más mirándome para alimentar su inspiración. Sentí una vergüenza espantosa, como debió haber sentido la cabeza de San Juan de que la díscola Salomé le besuqueara la boca en público. Todos aplaudieron y tomaron el poema como un pretexto para sacar el tequila, dizque como digestivo. Yo le expliqué a Willie que esperaba a los carpinteros y me fui corriendo a mi nuevo hogar, maldiciendo el día en que se me ocurrió ir a dormirme con esa muchacha tan extraña, que a pesar de haber quedado tan prendada de mis atributos, se fijó bien en que le prestara yo cincuenta pesos, según dijo, para su biblioteca.

Cuando llegué a la casa, el maestro carpintero y el maestro tapicero ya estaban ahí, con sus cajas de bártulos. Me explicaron que sus muchachos habían ido a recoger unas tortas compuestas y el material. Les abrí la puerta, se pusieron ambos a medir el salón comedor y yo llamé al Gillow para que ya me trajeran mis pertenencias. Esperaba con ansiedad a Freddy Santamaría, para zanjar nuestros asuntos y partir enseguida al Puerto de Tampico a comprar alguna vajilla y mantas. Con la experiencia de la noche anterior, me urgía habilitar mi cuarto de jardinero. Freddy Santamaría me encontró barriendo y desempolvando la pequeña habitación. No escuché su llegada ni la de los operarios, los cuales estaban ya instalando en el jardín su mesa de carpintería, dispuestos a serruchar. El decorador venía acompañado de Ramón Navarro, quien al escucharle decir en voz alta, como siempre decía todo, que debía venir a esta casa y no tenía coche, se había ofrecido rápidamente a llevarlo con el objeto de saludarme y ponerse a mi disposición.

—Qué amabilidad —pensé—, cuánta delicadeza.

Ciertamente, las iniciativas que tomaban los hombres me empezaban a parecer más prudentes que las de las mujeres, siempre teñidas de locura. Claro que el caso de Lola y las muchachas no era la generalidad, o al menos eso esperaba yo. Indiqué a Freddy la habitación que sería para Mauro.

—Muy bien —exclamó—, le va a encantar.

Después le señalé que la de junto sería para el doctor Lizárraga.

—Ajá, para el doctorcito —comentó—. No está mal. Ésa se la vamos a vestir toda de verde: el tapiz, la colcha, las cortinas, todo verde. Y también la alfombra.

Yo fingí demencia. Le señalé acto seguido la mía y recé porque no me hubiera agarrado ninguna especie de tirria cromática. Muy al contrario. Me preguntó:

—¿Qué color te gusta, Ausencio?

—El azul —respondí escuetamente—, el azul índigo.

—Pues azul índigo tendrás —declaró, haciendo un amplio movimiento con su eterno impermeable, que manejaba como capa española.

Al mediodía acompañé a Ramón a dejar a Freddy en los estudios y nos fuimos a comer a un restaurant. Charlamos sobre la apasionante vida privada del general Caso, que toda la ciudad seguía cual folletín. Ahora se había visto a Blanca comiendo en La Cucaracha con un representante del sha de Persia; se temía que Caso cometiera algún despropósito para evitarle la salida del país, si es que a ella se le ocurría escapar a entrevistarse con el jeque oriental. También me contó la vida y milagros de los artistas de la pantalla de plata, pues mientras trabajaba de extra, Ramón había concebido la idea de convertirse en cronista de cine. Hablamos de eso, y no de amor, ni de literatura, ni nos emborrachamos, y yo sentí un gran descanso, como si hablara con uno de mis hermanos, claro que con más conocimiento del mundo que ellos. Cuando regresé a la mansión, después de comprar mis cobijas, mi almohada de pluma, la cafetera eléctrica y lo que me hacía falta, cerca del ocaso, ya casi faltaban sólo dos días para que regresara Alejandra.

Fueron dos días de polvo y suciedad, de gente que pululaba por la casa pegando, martillando, serruchando, pintando o lavando el zoclo. En general me salía a la biblioteca y procuraba concentrarme en mi labor, escribir algunas cuartillas. Pero me costaba mucho trabajo, en aquel lugar silente, húmedo y sombrío, y terminaba escapando hasta el café La Habana donde el sol entraba por los ventanales. Aunque hacía grandes esfuerzos por no faltar a la verdad histórica, o por lo menos a lo que contaban los periódicos, no podía menos que inventar cosas, y así fue como salió de mi manga que al capitán lo mandaron a la isla de Clipperton por una historia de amor con una muchacha, a la que había metido clandestinamente al cuartel. Por supuesto que la muchacha se llamaba Alejandra, y era espiritual a la vez que ardiente. Por otro lado tenía a la esposa del capitán, que no entraba en aquel romance; entonces dejé la boda para después, pensando que ésta debía ocurrir en la isla, en medio de los pájaros bobos, que mi deseo de una mejor estética fue trocando por garzas rosas y gaviotas refulgentes. Ahí mejor dejaba el trabajo, me dedicaba a leer, comía, vagaba, un día me metí al cine, y en la tarde regresaba a la casa a encerrarme en mi covacha de jardinero que no sé por qué empezaba a gustarme, como si fuera una buhardilla parisina, y también porque tenía miedo, una vez terminada la casa, de cómo debía yo tratar a los sirvientes que forzosamente habría que contratar, siquiera para que la limpiaran porque era enorme.

La tarde anterior a la llegada de Alejandra, mientras releía su carta acostado en el catre, vino uno de los carpinteros para avisarme que acababa de llegar el señor Freddy. El diseñador entró por el portal seguido de un mozo que cargaba un montón de recortes de tela, y con sus prisas habituales no me dejó invitarle a un vaso de sangría. Recorrimos juntos los salones, el comedor, la biblioteca, el salón de estar, el cuarto de recibir y las habitaciones desnudas, mostrándome Santamaría en cada lugar la tela que llevarían las paredes, el color de los sofás, e indicándoselo al tapicero. Cuando llegamos a la habitación de Mauro, se detuvo largamente hablando de la colcha de la cama, las almohadas y las sábanas de satén. ¡Qué bonitas iban a ser, qué suave era aquella tela, qué misteriosa a la vez, roja como la sangre, en combinación con el terciopelo negro del cubrecama! Freddy desdobló el gran pedazo que traía de aquella seda delirante y lo extendió frente a mí. Al tocarla, al apreciar los cambios de tonalidades, los pliegues suaves, la caída sensual de aquella tela, sentí un gran estremecimiento en la espalda. Sin llamarlo, Mauro acudió a mi imaginación como un vampiro a la media noche, quizá con la capa y el sombrero de copa con que lo sorprendí aquella noche en Tonalato, y me introdujo entre las cortinas púrpuras del dosel planeado por Freddy a esa cama que ya era como un animal, como una carne pura y sangrante. Quedé tan perturbado por lo que se me había ocurrido, que ya no volví a prestar atención a lo que el decorador decía, y no me enteré de cómo iba a quedar el resto de la casa. A todo asentí como una máquina, quién sabe qué locuras le permití a Santamaría. A la media noche, ya en mi catre humilde y cálido, traté de concentrarme en el arribo de Alejandra, en que me levantaría desde temprano para acudir a la estación —pues no sabía en qué tren llegaba mi querida, ni a qué hora, ni nada, pero mi alma romántica me ordenaba pasar el día entero ahí si era necesario—, pero aquella imagen vampírica me asaltaba, me mordía, me asfixiaba y me poseía con su mirada azul, llenándome de fascinación. Y la parte de mí que amaba a Alejandra, la que tembló de sólo poner las mejillas en su lecho vacío, la que gozaba el escalofrío perpetuo de su carta en mi pecho y el dolor de estómago que me atacaba al pensar en sus palabras, parecía llorar triste y derrotada en alguno de mis sueños, pues no alcanzó rebelión ni protesta, y dejó que me durmiera con las mejillas enrojecidas y las lágrimas asomando apenas.

VIII

La estación estaba casi vacía a las seis de la mañana que me presenté. Había tomado la precaución de adquirir para Alejandra una fragante gardenia, que llevaba envuelta en celofán. Me senté en la banca de madera que se adosaba larga y vacía a las paredes, y esperé, mirando la brillante inmensidad del suelo, a que apareciera su figura luminosa como la de un ángel sobrenatural. Pasaron los minutos tediosamente, entre el eco de las voces que anunciaban la proximidad de los trenes, y el estallido susurrante y jubiloso de su arribo. Cada que llegaba uno, me ponía todo nervioso, tomaba la gardenia del asiento de junto, donde la había colocado por miedo a estrujarla con la ansiedad de las manos, me acomodaba el Stetson y me levantaba en actitud de dar la acogida a mi amada, a punto de abrir los brazos y sonreír. Pero nada. Unas cuantas sombras aparecían frente al cristal, a contraluz; entonces buscaba en vano la silueta elegante de Alejandra entre los que resultaban ser señoras pachonas de vestido y rebozo, niños adormilados y jóvenes de provincia, que lo primero que hacían era pararse como huérfanos bajo el inmenso reloj redondo de la estación.

En algún momento pasó frente a mí un fotógrafo de noticias con su cámara al hombro y me hice la ilusión de que llegaba tal vez a entrevistar a Alejandra, pero fue inútil. Seguí al individuo hasta el baño donde se metió para esperar infructuosamente a que saliera, con la inquietud de no ver el andén desde ahí. Regresé a mi lugar, desazonado. Tenía la necesidad de tomarme aunque fuera un café, porque en la casa no había tenido la paciencia de preparármelo, pero la cafetería estaba del otro lado de la estación, cerca de la puerta de salida, y me preocupaba mucho que Alejandra llegara justamente en aquel momento, sin verme ni verla yo a ella. Estaba en ésas, cuando un sujeto se sentó junto a mí, del otro lado de la gardenia, y abrió su periódico: «Perdido el rastro de la feroz banda de Correo Mayor», decían los grandes titulares de la parte posterior del diario, la que daba hacia mi lado. Decidí consolar la espera y la tentación enterándome de los crímenes de la ciudad, así que disimuladamente, con un ojo al gato y otro al garabato, me puse a vigilar el andén mientras procuraba leer la noticia, pero el sujeto grande, gordo y malencarado volteaba a verme con recelo por debajo del sombrero azul que le quedaba chico, y cada que lo hacía, debía yo mirar a mi vez hacia otra parte. «La peligrosa banda que asaltó la semana pasada el Banco Mexicano... —aquí el tipo volteó, y para disimular me incliné a amarrarme el zapato, logrando leer torciendo un poco el cuello— ...llevándose los valores existentes en la caja y secuestrando a la cajera, la señorita Marta Prudencia Gómez, sigue bien oculta al rastreo intensivo que tras ella realiza la policía capitalina.» Al lado venía la foto de Marta Prudencia Gómez con expresión inocente. Terminé de amarrarme los zapatos; había leído suficiente para quedarme intrigado. Con disimulo tomé la flor, aspiré su aroma, y un poco oculto por el celofán alcancé a ver el retrato de Marta Prudencia Gómez. Era ciertamente una bonita muchacha, de labios muy pintados, rizos oscuros y un sombrero de casco que no ocultaba sus ojos grandes y claros; me puse a pensar si de verdad la habría secuestrado la banda, o bien estaba coludida con sus miembros, como ocurría en las novelas de Sherlock Holmes que le gustaba leer a mi mamá. Después de todo, era ella la que había entregado el dinero, y la que había servido después de barrera para que la policía no disparara sobre los feroces asaltantes. Claro que para negar esta hipótesis, debajo de su foto aparecía la de su abuelita, que había ido a visitar las oficinas de *El Universal*, llorando en medio de su inmenso abrigo. «Temo por la vida de Marta Prudencia», decía al reportero que la miraba, libreta en mano, con actitud de interés y comprensión, un gesto dinámico parecido al de Mauro cuando concebía alguna idea.

Estaba ya muy interesado en la noticia, cuando aparecieron en mi campo visual, como un estorbo, unas piernas con tacones, unas medias brillantes y los faldones floreados de un huipil. Levanté el rostro y cuál no sería mi sorpresa al encontrar frente a mí, expectante, palpitante, ataviada con dicha prenda folclórica, a Alejandra. Fue un instante raro y doloroso, en primer lugar porque no la reconocí, casi sin maquillaje, sin las sedas, los encajes, los vestidos que parecían ocultar siempre una parte de ella y que tanto me inquietaban. Así, sin arreglos, me pareció casi que la veía en fondo, prácticamente desnuda, como si ya hubiéramos cumplido con la gimnasia de Venus y fuéramos a reponer fuerzas a alguna ostionería. Una fea nube de indiferencia tiñó de gris mis expectativas, mi amor por ella que tantas esperanzas había abrigado, que tanta necesidad había concebido de irla desnudando paso por paso. Hubiera preferido seguir mirando el periódico y que, como en el teatro, ella saliera, se arreglara y volviera a entrar. Ni siquiera sé si disimulé bien esta extraña decepción: me levanté apurado, con torpeza, le tendí la gardenia y esperé a que ella aspirara coquetamente el perfume cerrando los ojos. Qué difícil era, ahora que por escrito nos habíamos confesado nuestros sentimientos, y que a los míos se habían añadido muchos otros —los cuales no hacía más que reprocharme—, ya no hablarnos, sino vernos, caminar, estar uno junto al otro. Un cargador nos esperaba casi oculto tras la pila de maletas de Alejandra que había amontonado en su diablito. La tomé del brazo lo menos tontamente que pude, me ocupé de cargar su neceser rosa y la guié hacia mi automóvil, que esperaba dócil a las puertas de la estación.

—Arte, qué hermosa sorpresa —exclamó Alejandra apreciando el coche.

Casi fue lo primero que dijo, algo que ya no eran sólo murmullos, ni carraspeos como hasta entonces había sido nuestra comunicación. Subió contenta y digna, pero yo esperaba que en el auto pareciera una reina y así tan sencilla como iba sentí que algo le faltaba, no sabía qué, como a las primas y las hermanas sobradas de familiaridad. Sin embargo, la educación y la prestancia me obligaban a seguir la pauta de conducta que de alguna manera había imaginado antes, con otro Artemio y otra Alejandra llenos de seducción: le abrí la puerta del coche, la cerré y me fui a sentar yo frente al volante. Luego, antes de arrancar, le tomé la mano, la miré a los ojos y se la besé. Ella se puso nerviosa, la retiró, pero ya que empecé a manejar y que estuvimos prácticamente en descampado, entre pastizales y rancherías, acarició mi mano lentamente, después se me repegó y me dio un beso en la mejilla. Algo me decía que podía yo parar el coche en cualquier momento a mitad del campo, echármele encima y culminar de una vez por todas nuestras ansiedades, pero me molestaba el hecho de que no fuera aquello lo que había concebido mi imaginación, y que me faltara el impulso, el deseo inicial que durante tantos días había cultivado. También, por otro lado, me conmovió verla contenta, sonriente como una niña junto a un león domado. Le dije:

—Seguramente estarás cansada de estar tantas horas en el tren. Te llevaré a tu casa; después paso a buscarte para que vayamos a comer. Ahí me contarás cómo te fue en tu viaje.

—Como tú digas, Arte —me respondió ella y se recargó en mi hombro—, la verdad es que estoy cansada.

Yo extrañaba sus frases inspiradas, la autoridad que antes de su viaje había manifestado sobre mí. Hubiese querido que los autos estuvieran provistos de radio. Así recorreríamos el campo al son de las alegres notas de la sinfonía Pastoral; calmadas mis inquietudes con la música, podría alcanzar quizá un poco de tranquilidad infantil, como si Alejandra fuera mi madre, o mi hermana, y hubiéramos salido a un inocente picnic. Pero de lo otro, nada.

¿Adónde me iba a ir después de dejarla en su departamento? Ni modo que a la casa de Mauro, tan cercana y a la vez tan alejada de mi historia con ella. Decidí estacionar el coche a un par de cuadras y vagar por el parque para aclarar mis pensamientos. ¿Pues qué era tan débil mi filiación por esta mujer, que cualquier imagen catrina de mi primo, o cualquier desarreglo en su *toilette* la reducían a una mera imagen en mi cabeza, un amor inútil, falso y descarnado? ¿Cómo era posible que me encendiera cual bujía con el solo hecho de ver su cama, y al enfrentarla a ella como era me ganara de tal modo la desazón? ¿Debía rendirme a aquellos sentimientos, o bien luchar contra ellos como si tratara de vencer una enfermedad? Comparaba sin cesar a la Alejandra que había conocido en el tren de Tonalato, aquella mujer llena de secretos, de trozos de vida escondidos, la que con una sola frase inolvidable me había llenado de esperanzas con respecto al futuro, y a ésta que bajaba ahora de un tren del sureste dispuesta a entregarse y entregarme lo que yo le pidiera, y por más que la segunda me era de lo más favorable, seguía prefiriendo a la primera, inalcanzable y prácticamente cubierta de negativas y rechazos. Parecía que esos rechazos eran lo que más me gustaba.

Tenía la idea de que el amor debía ser una línea siempre ascendente hasta el sublime clímax, y en todo caso después llegaba la decadencia. No este laberinto sinuoso plagado de espejismos, puertas falsas y precipicios. Lo peor era que aquel tránsito agreste por tantos sentimientos encontrados estaba adentro de mí. Me había sentado en las piedras del estanque para mirar a los patos y a los cisnes, que con sus graznidos parecían reírse de mi persona, junto con los alegres mosaicos de los postes de luz, y la fuente alta y jubilosa del puentecito colgante que los niños ponían a temblar saltando sobre él furiosamente. Quizá sería mejor regresar a San Gil y seguir llevando ahí la vida simple, infantil y sin percances que siempre había llevado. Siguiendo aquel impulso, me puse a caminar sin rumbo fijo, pero mis propios pasos me devolvieron a mi casa, como si fueran mis nanas.

Ahí me encontré a Freddy Santamaría, que había pasado a revisar la labor de sus trabajadores. Con gran energía explicaba al carpintero, al tapicero, al electricista y al plomero qué cosa estaba mal hecha y cómo debían arreglarla. Yo me quise escabullir de aquel infierno, pero el decorador se detuvo a media frase, y ágilmente me mandó llamar a mi covacha-estudio, como me estaba gustando llamar al cuarto del jardinero. Quería el decorador que me acomidiera para escoger la cocina, la máquina de lavar, los bártulos del aseo, en fin, todas aquellas cosas indispensables para una casa, y que sin embargo carecían de atractivo para las visitas.

—Yo ya conseguí una vajilla de Sajonia hermosísima —señaló con orgullo—, propiedad de una de las damas de honor de la emperatriz Carlota.

Le contesté que mi primo quedaría encantado con semejante cosa, por más que en aquel momento las vajillas me tenían sin cuidado. El furor que me solían despertar las cosas se había aplacado bajo las preocupantes evidencias de locura o desviación que seguidamente encontraba en mí. Hice una lista rápida de las demás necesidades, le dije a Santamaría que iría a comprar todo en la tarde y me metí a la covacha a descansar. Me di cuenta de que se sorprendió mucho, de que yo solía tener hacia él una actitud más bien servil, y que ahora lo había tratado de manera cortante. Ni modo, pensé. Él insistió en que viera los adelantos en la decoración de la casa, pero me negué por miedo a ver terminado el cuarto de mi primo con los satines vampíricos que tan nervioso me habían puesto. Me tumbé en mi catre, cerré los ojos y traté de dormir. Fue imposible y ridículo tratar de hacerlo entre los martillazos, el ruido del serrucho, y las constantes reprimendas de Santamaría a su asistente. De cualquier manera, el tiempo había pasado y era hora ya de buscar a Alejandra.

Como siempre llegué, toqué el timbre, se asomó la sirvienta con la cofia papal, y me bajó a abrir. Antes de que yo entrara, me dijo en voz queda y arrepentida:

—Por favor no le diga a la señora de que me vio el otro día.

Yo le respondí que no se preocupara y emprendí mi camino por los laberintos del edificio. Otra vez escuché música en el departamento de Alejandra, pero esta vez no eran tangos ni rumbas: era el mismísimo Prokofiev el que rodeaba de un velo tormentoso la situación. De otra casa, salió una señora con un french poodle, que me ladró.

—Buenas tardes —saludé.

Por la puerta entreabierta, alcancé a ver a Alejandra en la sala, perfectamente vestida con un bonito traje azul turquesa, acomodándose el sombrero.

—Pasa, Arte —me dijo el rostro que yo siempre recordaba con veneración, con sus sombras y su bilet, con sus chapas y su arreglo inmaculado—. ¿Adónde vamos a comer? ¿Por qué no al Budapest? —se respondió a sí misma.

Yo obedecí, pero me dolía el estómago. Subimos al coche, me tomó las manos, se las besé aferrándome lo más posible a ella, y me preguntó si algo me pasaba.

—Te ves abatido, ¿te sientes mal?

Le declaré que la había extrañado mucho, lo cual era muy cierto, y que mi vida había cambiado.

—Pero dime, ¿cómo fue tu viaje?, ¿cuántos aplausos cosechaste esta vez?

Mientras me dirigía con gestos hacia el restaurant, me empezó a contar:

—Yo quisiera vivir en el sureste, Arte. Mi familia es de allí. Cada vez que voy, siento tal tranquilidad..., me siento muy querida y respetada por la gente..., eso, para una artista, es muy importante. La capital, con todos sus atractivos, es muy frívola, está llena de obligaciones sociales con las que se pierde el tiempo. Aquí a la derecha... Las fiestas, los cócteles de beneficencia, el comité de damas, las amistades de la orquesta sinfónica... Y eso me cansa, me cansa, no lo puedo evitar.

Se quedó callada.

—Quizá es la edad —añadió luego, mirándome de reojo.

Nos estacionamos frente a una vieja casa porfiriana, cuyos bajos ocupaba el pequeño restaurant húngaro, frecuentado por parejas que se guarecían de la curiosidad ajena tras unas cortinas verde pistache, para comer apaciblemente en la penumbra.

146

—¿Cómo puedes hablar así? —le dije antes de entrar—, la edad es lo que menos importa.

—A mí me importa mucho, Arte, y desde que te conocí, me importa más.

De nuevo sentí aquella atracción irresistible, esas ganas de besarla, de tocarla. Un mesero nos señaló una mesa muy conveniente, pequeña y apartada. Nos trajeron cócteles, ordenamos sopa de cebolla, pato y gulash. Le tomé las manos por debajo de la mesa, y aproveché para acariciar también sus rodillas, sus medias de seda. Un zíngaro llegó a arrullarnos con su violín y Alejandra me pidió que le diera una buena propina.

—Es un colega —comentó guiñando un ojo.

—Alejandra —le dije en cuanto acabamos la sopa, y el zíngaro se fue—: tú me tienes loco. Ya no sé qué hago, ni qué me pasa. Vivo en una tremenda confusión. Lo único que sé es que te quiero, y que tu edad o lo que sea no me importa.

Y añadí, recordando una película que acababa de ver:

—Debemos ser valientes.

Lo cual no venía al caso, pero quizá sí corríamos algún riesgo, porque ella asintió con mucha consternación. De repente levantó el rostro y exclamó:

—Artemio, vámonos lejos, a una ciudad tranquila donde nadie nos moleste, donde llevemos una vida apacible, solos tú y yo, dedicados al arte y a la creación.

La verdad no escuché muy bien lo que había dicho, pues aproveché aquel momento para besarla y meter la mano por debajo de la falda.

—Vámonos a tu casa, o a un hotel —le susurré al oído.

Ella se separó, se acercó el mesero con el pato y pasamos un silencio incómodo, masticando cada quien lo suyo. Yo la veía pensar, debatirse, dudar mientras comía, y temí haber sido demasiado directo, que me contestara que yo qué me creía, o algo así. Pero de repente se rio y me pellizcó un cachete:

—Picarón —me dijo por lo bajo—. Si te doy eso que tú quieres, ya no querrás irte conmigo.

La recordé llegando a Buenavista y pensé que probablemente tenía razón, pero no dije nada de aquello. La verdad es que mis ganas descendieron, como el mercurio del termómetro.

—Haremos lo que tú quieras, cuando tú lo quieras —le contesté.

Aquello pareció gustarle.

En la tarde pasamos un rato divertido en su casa, ella tocando una sonatina de Mozart y yo pasando las hojas de la partitura. Era bonito ver sus dedos un poco regordetes, llenos de anillos, vagar por las teclas con una mezcla de displicencia y agilidad. Me hacían pensar en aquellos escarabajos a los que se incrusta una piedra diamantina y se les deja merodear por la blusa y el escote de las señoras, en especial uno que le regalaron a mamá, pero ella se negó a usarlo como broche: lo metió en una pecera y le puso el ridículo nombre de Titino. Así, mientras Alejandra se solazaba con sus manos, sin dejarme ya hacerlo con las mías, mi cuerpo quedaba fijo obedeciéndola, pero mi cabeza se iba a otras partes, como aquellos insectos. Qué cosa tan rara era la música, que siendo tan inmaterial, ocupaba todo el espacio. Quizá, de haber tenido alguna aptitud, yo hubiera preferido dedicarme a aquel arte incorpóreo, que a ese tropiezo largo que era escribir.

Cerca de las cinco, le anuncié a Alejandra que debía ir a encargar una serie de adminículos para la casa de Mauro.

—¿Para la casa de Mauro?, ¿y cuál es tu casa? —me preguntó juguetonamente.

Yo le expliqué que vivía ahí mismo, en la casa de Mauro, pero que a fin de cuentas era suya, y torció la boca como de decepción. Quedamos de vernos al día siguiente, y al otro, y al otro, y al otro, para que la acompañara a una serie de compromisos que mi presencia le haría mucho menos aburridos.

Al rato recorrí con pasmo El palacio de Hierro, entre señoras afanadas en probarse vestidos y niños que corrían de un departamento a otro por las escaleras eléctricas, buscando y encargando una serie de cosas que me tenían por lo regular sin cuidado, pero que de pronto cobraron para mí un interés especial. Los refrigeradores grandes, por ejemplo, o las podadoras de pasto, o las lavadoras de ropa. En cada uno de esos complicados y benignos aparatos, veía la mano de alguien como mi primo dedicado a la creación para beneficio de la humanidad. Veía su trazo, su mano firme, su mente dueña de una precisión sin límite, matemática y calculadora, y a todo Tonalato adorándolo. De tener alguna aptitud, hubiera debido yo quizá ser dibujante o pintor, o músico, como había pensado antes. Pero en realidad no tenía ninguna.

De modo que los días pasaron así: el miércoles, un té de beneficencia con las damas del club de Leonas, paralelo al de los machos felinos. Alejandra me presentó como su sobrino y me dejó a merced de un montón de señoras cubiertas de pieles, que me acosaban con preguntas: de dónde venía, a qué me dedicaba, si encontraba bonitas a las muchachas de la capital. Como Alejandra, distraída como era, se había olvidado de darme una respuesta premeditada a aquellas preguntas, inventé que venía de Guatemala a estudiar el violonchelo. Un viernes, en una comida con los miembros de la sinfónica para celebrar los éxitos del maestro Güemes, contesté que venía de Veracruz a inscribirme en la escuela de la Esmeralda con el maestro Rivera. Muchas esposas de los músicos me aconsejaron que no lo hiciera.

—Va usted a perder mucho tiempo —me decían—, entre las malas compañías y el fragor de la política. ¿Que no le interesa algún instrumento musical?

Siempre, en algún momento de alguna reunión, Alejandra debía sentarse a algún piano y tocar una pequeña pieza, ya fuera de Bartok, Dvorak o Stravinsky, para cosechar los consabidos aplausos, cosa que para ella se estaba convirtiendo en un deber pesado y oprobioso, como el de las criaturas del circo de posar en las jaulas ante los curiosos. En esos momentos, ella miraba hacia mí y me hacía darme cuenta de que verme ahí le servía de consuelo. Pero yo, por mi parte, me sentía solísimo. Raro era que no se me acercara justamente aquél o aquélla a quien nadie le hacía caso, para consolar su exclusión con un desconocido, y me acosara a preguntas, o me hiciera dar mi opinión sobre los más diversos temas, opinión que yo solía orientar según lo que estaba bebiendo y según la gente con quien me hallaba, para no desentonar o individualizarme demasiado.

En una cena-baile en beneficio de la Dama Obrera, presidida por la mismísima señora Caso, tuvo Alejandra que levantarse a tocar, durante los postres, una pieza de Chopin. Eran muy importantes todas las personas ahí reunidas: damas de la alta sociedad, algunos líderes institucionales, personalidades de la escolta del general Caso y bellas señoritas, pero en general no encontré el sabor picante que Willie Fernández le sabía poner a las concurrencias y a las fiestas. Todos parecían engullir el budín de crema por obligación, con la sola satisfacción del deber cumplido, de la caridad llevada a efecto. Me dio la impresión, mientras inventaba una infancia en la lejana Nicaragua para una muchacha flaca de mirada infantil que saqué a bailar, de que en cualquier momento nos levantaríamos y nos pondríamos a marchar, a la voz de mando de la señora Caso, quien se veía terrible y al parecer lo era: en aquellos días se susurraba que era ella quien había mandado traer al enviado del sha de Persia, al que había conocido en alguna reunión diplomática, y al que le había ofrecido prácticamente regalada a la hija del panadero si conseguía secuestrarla y sacarla del país. Que en venganza, el general Caso había ordenado que se habilitara toda una sección del palacio Presidencial para sus habitaciones, desterrando absolutamente a su esposa de su vida privada. Y entonces la señora andaba de muy mal humor. Aun así, cuando Alejandra me presentó ante ella como su sobrino de Tonalato que deseaba dedicarse a las letras, lo cual le agradecí porque no me forzaba a mentir tanto, el rostro de la señora Caso se encendió con una sonrisa sumamente cálida y amable por encima de su hombruno traje gris —en el que traía plantado un broche de esmeraldas, parecido a un camaleón en el desierto—, y me sugirió que me inscribiera a Mascarones, ofreciéndome que la fuera a ver si tenía algún problema. Por lo visto, todo tenía en el mundo muchas caras.

Lo cierto fue que antes o después de cada uno de esos compromisos, intentaba yo acercarme a Alejandra más de lo corriente; la besaba y avanzaba en su territorio lo más posible, cada día un poco más, hasta que ella aprovechaba cualquier ruido, cualquier ocurrencia para frenarme y decirme que era yo un picarón, que ya bastaba. Y mientras más avanzaba yo, más miedo sentía, sin saber por qué, de llegar al final. Era una mezcla de excitación desbordada y pánico que de repente me dejaba totalmente frío, casi esperando a que ella me detuviera. Otros ratos los pasábamos en gran tranquilidad, casi como hermanos, leyendo algún libro que conmovía a Alejandra tanto como a mí, o en el cine, o mirando sus libros de pinturas mientras ella estudiaba sus inevitables seis horas, o bien en los pequeños restaurantes que ella conocía tan bien.

Así llegué a estar tan abstraído, que cuando regresaba a la casa ya no me fijaba muy bien en cuánto había avanzado la decoración, ni en si algo se ofrecía. Tomaba dinero de la cuenta de Mauro y disponía de él como si fuera mío para comprarle a Alejandra joyas y sombreros, para llevarle libros, para invitarla a comer. Le enviaba a mi madre cantidades regulares y le hablaba de larga distancia para preguntar por mi hermano Abundio, el cual, desde que fue despedido, se dedicaba a zanganear jugando dominó en el cobertizo de San Gil, que algún iluso había bautizado como «casino». Le daba al decorador lo que me pidiera, sin siquiera pararme a pensar. A ratos, incluso, me sentaba en el escritorio de mi covacha-estudio a pergeñar algunas líneas, o me iba a la biblioteca a leer vidas de náufragos, empezando por *Robinson Crusoe.* Ya no estaba jovial o abismado como en los días anteriores; algo parecía haberse asentado en mí, y era más feliz. Quería a Alejandra, sí, la admiraba, a tal grado que estar con ella era como vivir en otro país y ser otra persona mejor. Y si había sentido una gran decepción al verla llegar de Campeche tan desangelada, o bien pasaba enormes miedos posando mis manos en partes cada vez más recónditas de su cuerpo, también me agradaba la confianza, la cercanía, algo que era más real, como cuando llegaba antes de tiempo y la descubría maquillándose, o mirando una revista, o encargando un té de azahar, al que era muy afecta; todo aquello ejercía sobre mí una indecible magia, amén del regusto cómodo de saberme amado, como el gato fino en el cojín de terciopelo.

A ello se añadía tan sólo una piedra en el zapato, y era que Alejandra se negaba a ver la casa de Mauro. Había cometido la torpeza de explicarle que dormía en el cuarto del jardinero, y por más que lo equiparara yo con una buhardilla de París y le hablara de *La Bohemia,* ella sólo me preguntaba, si salía la casa a colación, si tenía ya un cuarto decente o si ya existía una sala para recibir visitas. Al parecer le molestaba que trabajara yo declaradamente para mi primo, que a veces me refiriera a ese trabajo con tal escala de obediencia que pareciese una especie de criado. Porque Alejandra, si bien le importaba el arte, respetaba las posiciones sociales como algo inamovible y real, y no sólo porque de éstas dependían en buena medida sus conciertos, sino porque la suya le había costado mucho trabajo. De muy joven había llegado de provincia para continuar sus estudios en la capital, sola y sin más recursos que su talento y un poco de dinero mensual que le mandaban sus padres. Alguna vez, según me dijo, aludiendo yo creo a su finado marido, se había topado con personas que no eran lo que decían ser, y eso la puso en guardia para toda la vida. De modo que al cabo de aquellas conversaciones siempre terminaba preguntándome, como queriendo descubrir una mentira amarga:

—Pero Mauro sí es tu primo de sangre, ¿verdad, Arte?

Entonces le contestaba que sí, que por el lado de mi padre fallecido, y luego mejor callábamos, o me ponía a adivinar cuál perfume estaba usando.

Aunque hubiera yo descuidado tanto mi trabajo, llegó algún jueves en que recordé que debía dar cuentas a mi primo, y aprovechando que durante toda la mañana Alejandra fungiría como jurado de un concurso de guitarra clásica en la XEW, me vestí de calle para ir a ver a Willie a su oficina. Esa mañana el centro hervía; aquellos días pasados en paz y tranquilidad en la colonia Hipódromo me habían desacostumbrado al bullicio callejero, a las multitudes de la gran urbe. El resultado fue que por quedarme mirando las aves que ofrecía un pajarero en Bolivia y Córdoba, me robaron, despojándome de la billetera repleta que ya por costumbre cargaba yo, no fuera a antojárseme algo para Alejandra, o para mí. Pero el dinero no me preocupó tanto como el retrato dedicado que me había obsequiado Alejandra, y que yo besaba en los baños, y en general cuando me encontraba solo, así como el boleto de tren Tonalato-México y la carta de Alejandra, que conservaba con ánimo supersticioso. Temí que por perderlos cambiara mi suerte.

Así, toqué a la puerta del despacho de Willie un poco desazonado, pero su recibimiento me alegró. De encontrarse bastante enfurruñado, mirando con asco unos papeles sobre su escritorio, saltó prácticamente el mueble para abrazarme.

—¡Compadre! ¡Hermano! —exclamó efusivamente, palmeándome la espalda varias veces y casi apoyándose en mi hombro—. ¡Qué alegría me da verte!

Y luego se separó con recelo, mirándome a los ojos:

—No estás enfadado con Guillermito, ¿verdad?

—Pues no sé —respondí, aprovechando el viaje—, desde que reniegas de mí, cual Judas...

—¡Cuál Judas! —gritó casi—. Y ya para qué. Lo de la compañía de baile fue un fracaso. Pero no fue tu culpa, pequeño; fue Perla, que cuando habla es muy indiscreta.

Después pareció entristecerse, cosa rarísima, pero como siempre se animó con la rapidez del rayo, me agarró fuerte de una oreja y me llevó a sentar frente al escritorio, quejándose de que me había desaparecido y lo había dejado en ascuas, pensando que estaba enojado y que ya no lo iba a buscar.

—Si hasta estaba esperando a que tu primo me mandara otro representante..., pero ahora me vas a contar bajo qué farol te has estado calentando, compadre.

Una señora nos estaba espiando desde las ventanas vecinas y no sé por qué me molestó su cara fofa, casi llena por unos ojos demasiado grandes e inquisitivos. Me paré a jalar el transparente de la ventana, mientras le contaba a Willie mi vida durante los últimos días, un poco como poseído, lleno de felicidad, pero yo veía que su rostro en vez de alegrarse, se ensombrecía. De repente no pudo más y explotó.

—¡De tapete! Ahí estás de tapete, de perro faldero de Mumú, lo que yo me imaginaba. Y no sabes lo que sigue...

Yo estaba pensando en decirle que él, con su puterío refinado, no tenía derecho a darme consejos, pero me intrigó.

—¿Qué sigue? —le pregunté.

—Pues mira. No es que sea amigo mío, ni mucho menos, pero don Jesús Saldívar, el famoso historiador y ministro de educación del régimen pasado, fue su amante. Ella ha tenido muchos desde que enviudó —añadió, gesticulando elocuentemente—. Cuentan que llegó a estar parado tras bambalinas, deteniéndole el espejo y la polvera para que ella se recompusiera, entre stacattos y moderatos. Imagínate, una gloria de nuestra intelectualidad, de valet de una diva, pues no, chato, pues no. Ella será una gloria de nuestras teclas, pero óyeme. Tuvo que acudir una comisión de secretarios del general Caso a hablar con la mamá de Saldívar, para que inmediatamente esto se parara. Y si eso pudo hacer con alguien que, me perdonarás, pero es el padre de la historiografía moderna, imagínate contigo, que eres un chamaco. Claro que ya no es tan joven como antes, ya no devora hombres a la velocidad con que solía hacerlo, pero casi, Artemio, casi. Yo te dije que te ganaras sus favores, hijo mío, pero hasta ahí. Del resto, ya te previne.

Willie se quedó serio y pensativo, mirándome hacia arriba con aire paternal.

No supe si pegarle o agradecerle a mi amigo, tan lleno de confusión estaba quedando. Qué malas eran las mujeres, de qué modo tan cruel pagaban nuestros empeños por agradarlas y acercarnos a ellas. Mejor le pedí las cuentas de Mauro y le dije que me tenía que ir.

—Te está esperando, ¿verdad? Ya ni puedes ir a comer con un buen amigo, ni emborracharte cuando se te da la gana.

—Ya quítale guacamole a tus tacos, Willie —le alcancé a contestar—, el que parece vieja melindrosa eres tú. Ahí te llamo cuando se te pasen esos días. Y me fui.

Me dio una pena horrible. Yo tenía el plan de llevar a mi amigo a un nuevo lugar en Izazaga donde vendían pulque, cerveza y tortas compuestas, que se me antojaba horrores y que por la finura de Alejandra no había podido visitar con ella, pero terminé yendo solo, a cavilar si valdría la pena continuar con nuestras relaciones. No tardé en decidirlo más de lo que le tomó al mesero traerme una de pierna, una de pollo y un pulque de guayaba: por supuesto que iba a continuar. Con algunas cosas no se jugaba y una de ellas era la tan mentada caballerosidad, que con tantos empeños y lecturas había por fin adquirido; no me iba a despojar de ella así como así.

De regreso a la casa me encerré en la alacena con el teléfono, pues era el lugar más privado al que llegaba el cable, y le llamé a Mauro a Tonalato, a cubierto de los martillazos y los danzones que cantaban a voz en grito los operarios, en especial un carpintero de nombre Raúl, de torso musculoso y bronceado.

—¿Cómo te trata la vida, querido primo? —le pregunté a Mauro en cuanto se puso al aparato, con una familiaridad que me salió del alma.

Él se extrañó. Me preguntó si había bebido o qué me pasaba. Por qué andaba desaparecido estos días, por qué estaba gastando tanto. Le dije que no se preocupara, que no ocurría nada de particular, y procedí a rendirle sus cuentas de la Dickson Coloured Pencils, sin reparar en que hablaba compulsivamente, demasiado alto y con una confianza exagerada. ¿Era acaso el pulque, el desprecio que me había inspirado Willie, mi propio ser, transformado por las luces de la capital y el amor de una mujer? Mi primo hizo un silencio largo, se despidió de mí y colgó. Como a la hora, mientras leía *Robinson Crusoe* en la estrechez vacía de mi camastro, llamó el doctor Lizárraga. Los asuntos de Mauro estaban casi a punto, me dijo, para que viniera una temporada a la capital. Además, acababa de comprarse un aeroplano Stevenson de cuatro plazas que deseaba estrenar, de modo que en dos semanas estarían en la casa y esperaban que ésta fuera ya habitable. Antes de que yo pudiera decirle que faltaba mucho, me aclaró que ya había hablado con Freddy Santamaría. No me quedaba otro remedio, entonces, que preparar la llegada de mi primo, el cual, como las aves y los ángeles, me caería del cielo.

IX

Durante un par de días anduve ido, sin abocarme a resolver completamente ningún asunto, como la compra de unas sábanas y toallas que faltaban, o la contratación debida de la servidumbre. Tampoco atendí a Alejandra como se merecía, aunque al cabo de meditar muy poco en la historia del gran sabio sosteniéndole la polvera tras bambalinas que Willie me había contado, había terminado admirándola más, llegando a la conclusión de que Willie era un envidioso. La acompañé a la première de una película de Lupita Tovar en el palacio Oriental, y entre los grandes jarrones, tigres y dragones laqueados que adornaban los pasillos, y las estrellas y personalidades que fumaban por las escalinatas, yo no hacía más que conjeturar qué se le preguntaba exactamente a un cocinero, aparte de si sabía cocinar, para saber si se lo contrataba o no, cosa que me hizo tirar el jaibol y manchar el abrigo de seda azul turquesa que traía puesto Alejandra, tanto que le gustaba verse impecable en los lugares públicos. Luego traté de llamar a algunas agencias de contratación, pero antes de entrar al vestíbulo de la casa me inquietaba por algún asunto de Alejandra, por ejemplo si en la embajada checoslovaca le estaban arreglando ya la visa para ir a dar un concierto a Praga, y entonces me regresaba a su casa a ofrecerle mi ayuda, mi automóvil, lo que fuera, mas en lo que ella trataba de explicarme alguna cosa, o de hacerme oír alguna pieza que estaba preparando, yo ya había partido a las nubes, a entrevistar a un chófer hipotético sobre su afición a la bebida. En suma, nunca estaba donde debía estar, y para acabarla de amolar, en las noches me metía directamente a mi covacha a dormir, agotado, de modo que no estaba enterado de nada más que de mis propias inquietudes.

Con todo, Alejandra se alegró con la noticia de la llegada de Mauro. Tal vez quería cotejar algo, vernos juntos y tranquilizarse sobre si no era yo un impostor, un gángster al que por cierto ya le estaba gustando desabrocharle la camisa y darle mordisquitos en el pecho en el sillón de su sala. Quizá yo hubiera debido empezar a hacerle lo mismo, pero la verdad me distraía demasiado pensando en qué diría Mauro de la casa, si debía yo empezar por trasladarme a mi cuarto, si no me regañaría el doctor Lizárraga por teléfono como había hecho esta vez, si no me regresaría mi primo a San Gil cuando llegara y viera la vida suntuosa y bohemia que estaba yo llevando con su dinero en la capital, sin provecho alguno para los demás y menos aún para él. De modo que Alejandra se aburría, y ahora era ella la que parecía extrañarse y se ponía a hacer otra cosa.

Finalmente, para ganar aplomo, una tarde decidí recorrer la casa entera y cerciorarme de que realmente no faltaba mucho trabajo para que estuviera lista, cosa que pensé que podía explicarle a Mauro y dilatar su llegada. Lo cierto era que, como había dicho el decorador a Lizárraga, sólo faltaban algunos detalles, y al entrar decididamente no pude ocultar mi arrobo. En el salón, el electricista y sus ayudantes colgaban dos arañas de cien luces y miles de tubos de cristal. Cuando por fin acabaron, el fulgor de las lámparas iluminó bellamente el tapiz crema y los mórbidos sofás en blanco y salmón. Había por doquier biombos y mesillas con tapices, o bien con arreglos de flores, jarrones, lámparas armadas sobre idolillos prehispánicos y esculturas artísticas. Sobre la chimenea bostezaba un reloj piramidal. Las alfombras eran tan mullidas que parecían llevarlo flotando a uno, y así anduve yo, sintiéndome en un sueño. El comedor, contrariamente a lo que su función podría hacer suponer, era verdaderamente espiritual: una mesa larga de cristal, casi invisible, miraba melancólicamente a los jardines a través de un enorme ventanal. En la pared azul moraban unos alcatraces geométricos, aprisionados en un marco de alabastro. En todo rincón había un detalle, un caracol, un cenicero de plata o de jade. Sólo un poco de aserrín en el suelo, algún cable tirado junto a unas pinzas, daban fe de que algo quedaba por hacer. Pero la casa de la señora Pontebello estaba, en suma, irreconocible, transformada en un palacio a la altura de Mauro.

Di vueltas extasiado, explorando cada recoveco, abriendo cada armario, deteniéndome a admirar cada estancia desde distintos ángulos, pasando de la alfombra al piso marmóreo y brillante en negro y blanco, a la madera cálida y ancha barnizada de rojo, queriendo casi bailar. Entonces, sin que me diera cuenta, entró Freddy Santamaría.

—¿Qué tal, Artemio? ¿Qué te parece? Espero que me dure lo suficiente. Conociendo a tu primo, nunca se queda en la capital más de tres meses.

Solía morirme de la curiosidad por todo lo que él parecía saber de Mauro, las cosas que dejaba flotando con cada comentario, pero me daba miedo parecer demasiado ajeno a mi primo, una suerte de estafador que se estuviera arrogando su representación. Era lo mismo que me ocurría con Alejandra: asentía cuando hablaba de ciertas personas famosas, como si ya las conociera, cuando la realidad era que estaba en blanco. En el fondo siempre esperaba que todo fuera una broma, como ocurría con Willie, pero éste era el mundo de verdad. Por otro lado, no quería saber demasiado de Mauro, tampoco, por todas las inquietudes que me causaba. Sin embargo, en esta ocasión no me aguanté, al darme cuenta de que este lugar maravilloso se iba a esfumar, como si me dijera que iba a despertar de un sueño:

—¿Cómo que no va a durar?, ¿por qué tres meses?, ¿qué va a pasar entonces en la casa? —le pregunté desolado.

Freddy Santamaría me cedió el paso para subir por las escaleras. Sentí detrás de mí su mirada curiosa sobre mis orejas rojas.

—Ay, Arsenio, no me digas que crees que los muebles son de verdad, que el piso de pino es de caoba, o que el papel de seda que puse en tu cuarto es de seda real. No hombre, esto hecho de verdad sería carísimo. Claro que te puedes sentar en las sillas y te puedes acostar en las camas, y hasta bailar sobre las mesas sin que se caigan: pero a los seis meses, yo ya no me responsabilizo.

Para venir a México, Mauro rentaba una casa y montaba un gran escenario que a su salida quedaba convertido en astillas. Igual a mí todo me parecía suntuoso; ¿pues en qué escala de las cosas vivía yo, o más bien en qué escala tan pequeña, que me era imposible distinguir lo real de los disfraces? Si esto era sólo un escenario efímero, ¿qué era todo lo demás? Esto ya no se lo pregunté a Santamaría, quien se pavoneaba un poco, halagado con mi admiración:

—¿Verdad que parece de verdad?

Recorriendo la parte de arriba, constaté que ya estaban vestidas y amuebladas casi todas las habitaciones, menos la del doctor. Estaba muy preocupado por saber qué ocurriría después de que se desplomara la casa, si regresaría con Mauro a

Tonalato, y hubiera querido preguntarle al decorador, pero él no tenía por qué saberlo.

—Bueno, ¿y por qué odia usted tanto al doctor Lizárraga? —fue entonces lo que mis labios preguntaron al que cada vez me parecía más un gran artista, ya encarrerado por la pequeña confianza establecida entre nosotros.

—¿Tú no? —me devolvió la pregunta—, ¿no te molesta que sea tan lambiscón, tan pesadito, tan creído, tan...?

Y frunció la boca sin continuar, quedándose pensando en algo que ya no brotó al exterior. Yo quería saber si le había hecho algo en particular. Estábamos ya en la que iba a ser la recámara de Mauro, frente al fastuoso catafalco rojo y negro donde Santamaría había puesto a dormir a mi primo, y ambos mirábamos el mueble y sus cortinajes con fascinación. En aquel momento me dije claramente lo que era obvio, que Santamaría tenía las mismas inclinaciones de mi primo, que era de su club, por decirlo así, y que tenía celos del doctor Lizárraga o algo parecido, al grado de que lo odiaba con todo su sentimiento. Aquella mancha templó de humanidad una admiración que crecía conforme miraba sus cortinajes, sus rincones mórbidos y a la vez teatrales: este hombre era el dios ideal de mi isla desierta, una especie de dios ilusionista, creador de mansiones y ciudades.

Otra vez sentí su mirada tras de mí, sobre mis orejas, pero también sobre mi cuello, como la mirada verdadera de un vampiro, y de ella pareció emanar un escalofrío de miedo y de ganas que me recorrió, pero esta vez el miedo y las ganas no se confundían en la mente o en las manos, como me solía suceder con Alejandra, sino en el coxis y más adelante. Tuve una erección que por lo menos a mí me pareció exagerada, la más grande que nunca había tenido, y que me provocó una mezcla de orgullo y vergüenza. Cuando volteé a ver a Santamaría, ya lo tenía casi encima de mí, besándome el cuello y manoseándome el cuerpo, desvistiéndose, forzándome a cruzar la negrura de las cortinas hasta la cama de Mauro, esa cama que él aún no había tocado y que guardaría de ahora en adelante mi doncellez masculina como un tributo desapercibido. Atrapado en el abrazo de Santamaría, cubierto como las gallinas por el fogoso gallo y viendo cómo el satén rojo se tragaba mi sangre, alcancé si acaso a recordarle que cerrara la puerta, no nos fueran a ver los carpinteros, y a aclararle que me llamaba Artemio, pues en la locura me decía cualquier cantidad de nombres y palabras extrañas, antes de que llegara a provocarme un dolor y un gozo inconcebibles, gracias a los cuales llegué a ver la imagen de san Eustaquio con manto azul y aureola en una nube. Después me desmayé.

Alguien me introdujo en agua tibia. Alguien me echó agua en la cara. Era, por supuesto, Santamaría. Con todo y la edad estaba fuerte, musculoso, aunque la piel se le arrugaba mucho en las axilas, el cuello y la cintura. Me gustó ver canas sobre su cuerpo. Me gustaron sus nalgas, sus piernas y sus pies, blancos y venosos. Ni él ni yo decíamos nada, como con susto, porque me manaba sangre del interior, pero a poco de estar en el agua, un solo hilillo rojo quedó caracoleando en la bañera, y ya no salió más. Me acordé de las fiestas que quería hacer Willie en esa misma bañera con sus muchachonas y me sonreí. Santamaría pareció tranquilizarse con ello.

—Yo pensé que tú ya lo hacías, Artemio, tienes carita de flor. Como no me dijiste que no, pues me seguí.

Yo sólo asentí. Él se empezó a vestir. Su voz había cambiado mucho; era suave y se le había quitado lo impertinente.

—Debo irme, tengo un llamado en veinte minutos. Hasta contaba con que me llevaras, pero mejor quédate ahí un rato; luego ya te vistes, y acuéstate. Mauro quiere que te encargues de contratar a la servidumbre, pero no te preocupes. Yo mañana te mando a toda la planta para que eches a andar la casa.

Me dio una sacudida varonil en el pelo y la acompañó de un beso en los labios.

—¿De veras estás bien?

—Sí —le contesté—, mucho mejor.

Al pararse, un borde de su gabardina se mojó en el agua de la bañera, pero él no se dio cuenta.

Nunca había yo alcanzado en mi vida un éxtasis tan completo, con el cuerpo y con el alma. Lo recordaba, mientras veía la noche caer por la ventana, y la noche oscurecía el agua, como subir más allá de las nubes, ver el cielo claro, ver a mi santo tutelar con su divina aureola y ser sacudido por una explosión, cada miembro de mi cuerpo lanzado lejos, destrozado. Aunque ya no sentía dolor alguno, no me podía mover, ni hablar. Cuando la noche cayó completamente, encontré fuerzas para levantarme y me sequé. En lugar de dirigirme a mi covacha, me volví a meter a la cama de Mauro, a aquel capullo negro y rojo, para pasar en él el resto de la noche y a la mañana, quizá, si acaso me atrevía, desplegar algunas alas. Pero casi no pude dormir. No cesaba de evocar lo que había pasado, sobre todo lo que había sentido, que era muy distinto a la caliente satisfacción que conseguía con las mujeres, la que había logrado con Lola, por ejemplo, o la que aspiraba a obtener entre las blanduras de Mumú, una cosa húmeda y trepidante que me daba vértigo. Esta experiencia había sido una pura elevación, si bien el que me la había proporcionado no era de mi entero gusto, ni me hacía volverme sentimental, como Alejandra. De cualquier manera, acariciado el cuerpo por las sábanas, no pude dejar de sentir hacia Freddy un cálido agradecimiento, por ayudarme a cruzar ese tosco portal.

Pasé una semana loca, lleno de preocupación. Primero me animé a pedirle a Alejandra que me ayudara a entrevistar al mayordomo, el ama de llaves, la cocinera, en fin, toda aquella gente que me enviaba Santamaría como si fueran parte de la decoración. Ella accedió encantada. Me dijo que esas cosas eran de las que más le gustaban. Pero cuando vino primero a conocer la casa, me sentí demasiado nervioso. No la había visto desde lo de Santamaría, y la sensación de molicie y deseo que siempre me invadía al verla se hizo a un lado, como un invitado indeseable. No quise que me tocara, tuve necesidad de evadir su abrazo, su mirada que parecía reprocharme cosas detrás de los comentarios elevados que acostumbraba hacer cuando estaba nerviosa, y últimamente con la confianza ya hacía menos:

—En este ambiente es necesario ejecutar a Rimsky Korsakov —decía parada junto al piano, o bien—: Arte, aquí sí encontrarás la inspiración, te hallarás a ti mismo...

Luego llegó la servidumbre convenientemente uniformada y Alejandra les habló como toda una señora de casa, las distancias bien guardadas entre el sofá desde donde hablábamos nosotros, montado en una plataforma, y el raso suelo que aquellos desgraciados parecían pisar. Para explicar mi mudez, les dijo que yo era extranjero, pero que debían obedecerme a mí en todo. Entonces el mayordomo, que se llamaba Ismael, me llamó aparte y sin más ni más me pidió dinero. El señor Santamaría le había dicho que lo hiciera, para enviar por el mandado y llevar la caja chica de la casa como debía ser. Le extendí un cheque de los de Mauro, y le pedí de una vez que trasladaran mis cosas de la covacha a la habitación azul.

Alejandra ordenó un menú bastante florido para la semana, con jabalí, pato, faisán y venado. Lo vas probando y así ves qué le puede gustar a tu primo, qué te gusta a ti. La inocente pensaba que mis gustos iban a contar. De cualquier manera, al despedirnos no encontré ya sus ojos detrás del medio velo que le colgaba del sombrero y me hice a la esperanza de que ese tul tapara también mi lejanía y, por qué no considerarlo así, mi infidelidad. Pero ya albergaba ella alguna desconfianza, porque no quedamos de vernos como siempre para acudir a algún compromiso, o para cenar.

Me dediqué ese día a instalar mis bártulos en la habitación que había elegido, y que me pareció alegre; no pude evitar pensar en que Freddy había ya concebido algún afecto o ilusión hacia mí cuando la estaba decorando, pues no era tan falsa y tan de efecto como las demás, sino sencilla y cálida, como de estudiante. Luego me dio pena ver por la ventana que los hombres de Freddy llegaban con unos larguísimos cartones que simulaban tapas de libros verdes, rojas y azules: aquella biblioteca amplia, que invitaba a la meditación, al trabajo y al sueño, iba a ser un puro adorno baladí. No contaría yo, pues, más que con mi biblioteca personal, que ya desbordaba una pequeña librería en el rincón del cuarto. Pensé en que cada habitación tenía un color, como en un cuento de Edgar Allan Poe, y en cada una pasaban distintas cosas. Aquí, en la roja y negra descubría uno sus sentimientos más recónditos.

En la noche decidí que para no pensar debía aislarme frente a mi escritorio, por más falso que fuera, a poblar mi isla. Escribí un capítulo en el que el capitán y los soldados construían, como un solo hombre, casas sólidas para sus familias; sin embargo, el negro malvado se negaba a colaborar. Después, algunos de los soldados, incluido el fogoso capitán, vivían historias de amor con unas americanas que llegaban en un barco carguero, y dos de ellos entre sí. Luego lo borré. ¿Cómo que entre sí? Me había pasado por la cabeza la idea de ser discreto, frecuentar a las mujeres y hacer como muchos hombres, que se daban a veces aquel género de gustos sin darse por aludidos, pero estaba lleno de dudas y temía nuevos dolores y desilusiones. No quise provocar otro encuentro con Freddy y le pedí a Ismael que no me molestara nadie, pues me dormiría temprano. De cualquier manera oí llegar a mi iniciador y sus pisadas fuertes por el pasillo despertaron los latidos de mi corazón. Cuando tocó quedamente a mi puerta, yo estaba acostado en la cama y a oscuras; aunque hubiera querido ser fuerte y cerrar la boca, la carne me dictó unas cuantas palabras de recibimiento. Freddy entró con una capa española de verdad y se sentó en mi cama.

—¿Cómo estás? —me preguntó—, ¿cómo has pasado el día?

Algo pasaba entre nosotros que me convertía en presa del aturdimiento. Sin responderle nada adelanté a él mis labios y le ofrecí mi cuerpo otra vez, pero él, si bien no me rechazó del todo, detuvo las cosas y me dijo:

—No es conveniente, Artemio, tú debes encontrar a alguien más. Para mí es mucha responsabilidad, no quiero que tu primo piense que me aprovecho de la situación. Además, es peligroso...

Al mismo tiempo sus manos continuaban su recorrido errático por mi cuerpo, hasta que se desnudó también y entonces volvimos a hacer lo de la tarde anterior, ya aprovisionados de algunas cosas que traía Freddy en los bolsillos para evitar los dolores. Pero cuando terminamos, Freddy se levantó un poco agobiado; respiraba con dificultad, el corazón le latía fuertemente.

—En serio, lo digo en serio, me lo tiene prohibido el médico más de una o dos veces al mes, y yo ya me pasé.

Sacó un frasco de píldoras, se tragó una apresuradamente y se fue tranquilizando.

—Es el corazón. Ya tuve un infarto. Me tengo que cuidar. Pero la dosis del mes próximo me la das tú.

Se me quedó viendo cariñosamente. Nos reímos con mucha franqueza y felicidad. Yo constaté que sí, que sí me gustaba, pero esta vez ya no llegué al cielo, ni vi santos, ni me desmayé. Lo que me agradaba era poder ir al grano sin tantos caminos torcidos, pero me costaba reconocerme a mí mismo en lo que estaba haciendo. Era como si yo fuese una especie de edificio lleno de ventanas, desde las que se asomaban personas distintas. Y me preguntaba cuál de ellas era la mía.

Me sentí como si estuviera en Tonalato a la mañana siguiente, cuando el mayordomo tocó a mi puerta para avisarme que el desayuno estaba listo. Estaba tratando de escribirle una carta a mi mamá, pero cualquier palabra que escribía me parecía hipócrita, desde «querida mamá». ¿Quería realmente a su madre alguien que se entregaba a la lujuria de la manera en que yo lo había hecho? Y no es que fuera mocho, pero tenía mala conciencia, ¿qué le iba a hacer? No estaba acostumbrado a que me sucedieran cosas que ya no podía decir, hasta lo de Mumú se lo había contado a Willie, pero ¿y esto? Ese amor, como decían, no osaba decir su nombre, y yo ya ni siquiera osaba decir el mío.

Luego, para acabarla de amolar, bajando las escaleras lo primero que me encontré fue a mi amigo Willie sentado detrás de un gran plato de papaya.

—Has resultado muy bueno de señorón, mano, mira nomás qué desayunos sirven aquí.

Efectivamente, sobre la mesa cristalina se recargaba una escultura de platos con fruta, huevos, tortillas y guisados diversos, acompañados de su café y sus jugos. Aquello era paradisíaco, verdaderamente. Se veía que Alejandra había olvidado ordenar los desayunos, bendito era Dios.

—¿Qué crees? —siguió diciendo mi amigo—, te traje el periódico para que vieras el notición que trae loco a todo México.

Y me extendió la nota roja del *Excélsior*. Ahí decía en grandes caracteres: «Asesinada», encima de una foto. Primero no alcancé a distinguir el bulto que la foto mostraba tirado en el suelo, justo en el centro del que había sido mi cuarto en el hotel Gillow, con los mismos muebles; por la ventana asomaban el mismo reloj del edificio de enfrente y el mismo árbol que yo veía desde ahí. Sin embargo, tras tomar un sorbo de café y volver a mirar me quedé helado: era Blanca, era su cuello largo, blanco y herido de un tajo, extendido en la alfombra como el de un cisne muerto. Su rostro manchado de sangre parecía mirarme desde la foto como un reproche o una despedida. Claro que no me vio a mí, pero igual que cuando levanté mi copa hacia ella en el palco del palacio de las Bellas Artes, mi fantasía lo pidió. No podía despegar los ojos de la foto, y sólo de lejos escuchaba el parloteo emocionado de Willie, diciendo que el general Caso había mandado confiscar aquella edición del periódico, y que tenía encerrado al director en el palacio Presidencial.

—¿Y tú cómo lo conseguiste? —le pregunté.

—El secretario de Agricultura fue a divertirse con las muchachonas y alguien se lo llevó en la madrugada. Lo leyó, salió corriendo y se lo dejó entre las sábanas.

—¿No estaba con Lola, verdad?

Quién sabe por qué se lo pregunté, pero pasó por mi cabeza la imagen de Lola acostada con un señor gordo, medio calvo y cincuentón, con la pistola y las cananas colgando de la cabecera de la cama, y no lo pude soportar. Willie se me quedó mirando extrañado.

—No —respondió—, estaba con Leila. Pero no me digas que tú...

170

Y soltó una carcajada. Luego meneó la cabeza, mientras se preparaba un taco.

—Ay, Artemio, eres un enigma.

—Bueno —le expliqué—, pues oye, cada quien...

Pero lo dejé por la paz. Era una tontería. Me reí con Willie y nos volvió a unir la camaradería de antes. Ya lo extrañaba. Mi amigo chaparro me siguió contando: al parecer, el jefe de redacción de *Excélsior* había ido a pachanguear al hotel con unas bataclanas, cuando oyeron un grito a la media noche. Todo el hotel salió corriendo al pasillo, donde encontraron la puerta del cuarto abierta, y a la pobre muchacha ahí tirada. Este personaje habló a la redacción del periódico para dar la noticia.

—Pero, también, ¿cómo se les ocurre? Están locos por publicar primicias. Yo que el director, no paso esta noticia; todavía amo mis carnosidades, chato.

Este Willie y sus frases. Sólo le pude decir:

—Pobre muchacha.

Comentamos sobre la casualidad de que aquello ocurriera en el que había sido mi cuarto, y hasta le dije:

—Qué tal que no lo dejo, y no hallan cuarto y no la matan.

—No sea usted babas —respondió Willie—, si no era ahí, era en otro lado. Esa chamaca ya había comprado boleto. ¿No has oído lo de que entre marido y mujer, nadie se debe meter?

Pues sí, acepté, si no era ella, era otra.

—Yo, por eso, no creo en el matrimonio —remató Willie—; es un peligro para la humanidad.

Terminamos de desayunar muy a gusto, mirando el espacioso jardín, y salimos a dar una vuelta bajo el sol para examinar los guayabos y las palmeras que lo alegraban. Luego Willie se despidió.

—Bueno, chato, tengo que irme a la Dickson, a ver si con las pasiones tan alebrestadas no se ponen feas las cosas, pero como dijo Bakunin, *business is business*. No quería perder la ocasión de estrenar tu covacha.

Le dije a Willie que me acompañara al cine en la tarde y acepté. Noté que omitía mencionar a Alejandra: quizá se había dado cuenta de que me molesté y con esta visita quería demostrarme cuánto valoraba mi amistad. Regresé al comedor y me encontré a Ismael curioseando el periódico. Se lo arrebaté y me lo llevé a mi cuarto. Me pareció indigno que todo el mundo viera a Blanca destrozada en el piso de un hotel, como una prostituta. Aplaudí la decisión del general Caso de confiscar el periódico, pues ¿qué se creían? Yo comprendía su furia. ¿Pero y ahora? ¿Sobre quién se volcaría aquella ira enorme institucional? Ya por lo pronto, el director de un periódico sufriría torturas indecibles, perdería quizá su trabajo, pero lo más seguro era que junto al asesino sería castigada también una ciudad de chismosos, entre los que me encontraba yo también: había tenido la fantasía torpe de que, al ir a buscar a Mauro al aeródromo, me encontrara a Blanca huyendo a Persia, y que por alguna razón ella y yo escapáramos en un avión de nuestros destinos incomprensibles, quizá a París, o a los Estados Unidos, no lo tenía claro. Pero si aquella fantasía era descabellada, ahora era poco más que imposible.

Para matar la melancolía, me seguí leyendo el periódico. Abajo decía: «Capturada la feroz banda de Correo Mayor», junto a una foto de Marta Prudencia Gómez, la cajera secuestrada por la banda robabancos, con la pierna cruzada en plan desafiante, y la terrible declaración de su abuelita, que ante la Virgen la había acusado: «Es verdad, Marta Prudencia andaba con ellos». ¿Cómo era posible que una mujer buena, culpable sólo de amor, como Blanca, y una cínica como Marta Prudencia Gómez, ocuparan la misma plana? Qué bien me siguió pareciendo que confiscaran el periódico, y como una muestra de lealtad al general Caso, de respeto al puro y sacrosanto amor que había sido mancillado con sangre, quemé mi ejemplar en un montón de hojas secas que ardía en el jardín. Mi antigua covacha-estudio se veía al fondo, llena de bártulos de jardinería, ocupada ya por su correspondiente jardinero, un joven guapote y alto que salió a darme los buenos días.

Qué distinta se veía ahora —y qué distinto me veía yo— de apenas hacía dos noches, cuando la ocupaba en medio de las nubes, siguiendo a Alejandra de aquí para allá, como un consentido perrito pequinés. Ahora me había vestido de blanco y llevaba un sombrero de fieltro de Cachemira, cual todo un gentleman. No pude evitar, al ver al muchacho que se acercaba, de sonrisa franca y juvenil, pensar en la escena a la lady Chatterley que había concebido yo alguna vez con Alejandra cuando habitaba la covacha, pero ahora era al revés: si acaso, quien debía encarnar a lady Chatterley era yo. Una vergüenza muy grande se apoderó de mí, y me regresé a la casa, furioso.

Me sentía mal con Alejandra, con mi mamá, con Mauro, con Blanca, con la humanidad entera. Decidí que mi vida no podía cambiar tanto, por más que yo hubiera encontrado otro género de gustos, además de que el propio Freddy había puesto un límite a nuestra relación, dictado por su corazón maltrecho. Decidí llamar a Alejandra y ponerme a su disposición, como siempre, y ver con la servidumbre y con Freddy qué más hacía falta, para que cuando Mauro llegara todo estuviera a punto. En suma, decidí portarme bien. La mucama me explicó que la señorita Ledesma estaba dormida, pero que podía llamar después, en una hora. A mí eso me pareció una gran mentira y le insistí mucho para que la despertara, le dije que era de vida o muerte. Entonces Alejandra fue al teléfono y me contestó. No parecía querer hablarme, de verdad, pero le hablé del asunto de Blanca y le pregunté dónde estaba la señora Caso, si sabía algo de ella, porque de seguro el general la iba a culpar en primera instancia. No sé por qué se me ocurrió semejante argumento para llamar su atención; ciertamente tenía una gran fe en el poder del chisme, ante el que todo el país vivía arrodillado, y Alejandra no era la excepción. Casi me ordenó acudir a su casa inmediatamente. Yo tomé el coche, aunque estaba a unas pocas cuadras: aquella mañana había despertado formando parte de otra clase social y debía ser consecuente con ello.

Cuando bajé del coche en la calle de Sonora, la propia Alejandra me esperaba desde el balcón, agitando su mano rodeada de encaje. Subí agitadamente. Ella misma me abrió la puerta y abrió los brazos sin decir palabra. De hecho nos abrazamos y nos besamos enfrente de la criada, que salía con unas copas en una charola, y mientras Alejandra se colgaba de mi pecho, yo alcancé a mirar a la de la cofia, que me cerró un ojo. Ya sentado junto a Mumú en el sillón, le expliqué a grandes rasgos lo que había leído en el *Excélsior,* omitiendo el hecho de haberlo quemado yo mismo por una lealtad momentánea hacia el general Caso, que ya había roto para poder ver a Alejandra. Quería que nuestra camaradería retornara, aquellos bonitos momentos junto al piano, pero ella estaba ciertamente desesperada.

—Mandaron a la señora Caso a los Estados Unidos, a Los Ángeles; ya me dijo la Quiqui Montejo —exclamó, apoyando su cabeza en mi hombro—. La enviaron como desterrada.

La Quiqui Montejo era una de sus amigas, compañera del conservatorio y sobre todo esposa del secretario de Recursos Hidráulicos.

—El general está convencido de que hay un complot de su propia gente para derrocarlo, y que han involucrado a su esposa.

Yo le pregunté si creía que la señora Caso tuviera algo que ver en el asesinato de la hija del industrial, pero Alejandra me dijo que no. Con toda franqueza, conociendo a la señora Caso, no. Ella podía enojarse porque él andaba de coscolino, pero no.

—Ay, Artemio —rompió a llorar—, pobre señora Caso, tan buena persona, protectora de las artes.

Hizo una pausa y me miró; una sombra negra caía de sus ojos pintados:

—¿Qué voy a hacer, Arte, si era mi principal apoyo? Tendré que volver a dar clases.

A mí me dio mucha pena; era la primera vez que la veía llorar tan desvalida. Le dije que no se preocupara, que su gran prestigio la sostendría, y que la señora Caso regresaría a México después de probar su inocencia. La abracé cálidamente. Ella empezó a besarme como antes, y en ésas estábamos cuando sonó el teléfono. Era la Quiqui Montejo. Tenía muchas cosas que platicar a Alejandra y a otras amigas; de hecho pensaba formar un comité de damas, representantes de todos los medios sociales, para que fueran a suplicarle al general Caso que tuviera clemencia con su esposa. Alejandra me pidió que la esperara un momento para ir a ponerse un abrigo negro y un sombrero. Montamos en el Packard y enfilamos hacia la nueva colonia Miraflores.

Yo conocía los alrededores de esta colonia, pues pasaba cerca en el camino a Mecalpan, pero preferí omitir este hecho ante Alejandra, no fuera a preguntarme a qué iba yo a un pueblito tan rústico. Cruzamos algunos llanos por ahí por San Antonio y entramos a una nueva colonia residencial.

—Mucha gente del gobierno vive aquí —me dijo Alejandra—, hasta piensan construir una escuela de maristas y otra de jesuitas para educar a los jóvenes.

Pasamos una plaza de toros en construcción, que me impresionó como un antiguo coliseo romano, rodeado de magueyes. Alejandra volvía a ser de nuevo la mujer ocupada, llena de prestancia, que me arrastraba a sus compromisos y me llevaba por el camino de su vida como a un joven fanático. Paramos frente a un caserón plano, el cual apenas se notaba en medio de una suave pendiente de pasto. En la calle sombreada, varios coches atendían al bostezo de sus chóferes uniformados, y un montón de señoras se arracimaba a la puerta, como en una barata de abrigos de chinchilla y vestidos de tarde. Acogieron a Alejandra con respeto y júbilo, aunque a mí me saludaron fríamente. Escuché que una rubia de chongo decía a otra que traía un cucurucho de terciopelo en la cabeza:

—Hasta aquí tiene que traer al sobrinito.

Después, la del cucurucho esbozó una sonrisa perversa. Cuando un mayordomo abrió la puerta, Alejandra escuchó algo que otra señora le decía al oído, y me llevó aparte antes de entrar:

—Arte, ¿no podrías esperar una horita, o pasarme a buscar después? Me parece que entre tanta señora te vas a aburrir.

Yo le dije que no se preocupara, pero no pude evitar sentirme un poco humillado. De nuevo miraba a todos esos chóferes escuchando boleros de la radio de los coches, fumando Alas sin boquilla, leyendo *Memín Pingüín* y comiendo tortas apoyados en los fords y los chévrolets rojos de sus patronas, y no veía entre ellos y yo más diferencia que el atuendo, pues el destino nos vetaba ahora la misma puerta. No porque fuera alzado, pero preferí ir a Mecalpan a ver a Lola y a la señora Perla para que me invitaran a unos tequilas, si no estaban atendiendo a ningún farolón. Lola, no sé si por suerte, se había ido a su taller de grabado en buril, pero la señora Perla me contó todos los detalles que ella se sabía del affaire Caso, me dio tequila y botana de chicharrón con salsa verde, y me puso unos corridos muy sabrosos. Cuando pasé por Alejandra, andaba ya a medios chiles, todo empanzonado, resentido; le conté un montón de tonterías sobre lo bonito que era Mecalpan, le regalé unas muñecas de trapo que le había comprado y la dejé en su casa diciéndole que me llamara cuando requiriera mis servicios de chófer. Por culpa de este arranque sentimental no me enteré de los intríngulis de su reunión, ni a qué sabía la botana de langostino a la Stanislavsky que les había servido la Quiqui Montejo, inspirada en la receta que había salido aquella misma mañana en la sección de sociales de *Excélsior,* a unas cuantas páginas del asesinato.

X

La llegada de Mauro a la capital coincidió con el cambio de secretarios y el despliegue de fuerzas militares por todo el país. La gente andaba atemorizada, pero existía —según me explicó Willie que le dijo el joven líder del movimiento obrero que andaba ahora encaprichado con una de las muchachas— un consenso general de que el país no iba a aguantar otro derramamiento de sangre, además de que el general era el único que había logrado desterrar al dictador Jacinto Urbadán a los Estados Unidos, comprometiéndose después con todos los sectores a dejar la presidencia a un sucesor dentro de tres años. De modo que si no había sido la señora Caso la autora de la provocación, era urgente que se encontrara al o los culpables, y que se les entregara tanto a la furia del amante ofendido, como a la ira del sector empresarial al que pertenecía la familia de la muchacha, para que las aguas retomaran su nivel.

Era también parte del chismerío general la llegada de Mauro, y entre toda la correspondencia que se acumuló en el buzón un par de días antes, encontré una esquela que anunciaba la muerte de Blanca. Debido a que el escándalo hacía imposibles unas pompas fúnebres como ella se merecía en México, el entierro iba a ser en el cementerio de Père-Lachaise en París. Tamaña elegancia me dejó muy impresionado; casi me convenció de que mis lujos de estos días habían sido como quitarle un pelo a un gato de angora. Así que ya llegaba Mauro y todo volvía a ser como en las comedias americanas: comidas en el cabaret Bombay, cócteles en Place Vendôme y entierros en la Ciudad Luz. Así se las gastaba mi primo en la capital.

Ahora bien, no se iban a comportar con Mauro los capitalinos como los rendidos tonalatenses, pues en todo caso el que reinaba aquí de modo incuestionable era el general presidente, al que ya se veía de capa caída en fiestas y banquetes, e incluso el resentido populacho parecía apenarse por su situación, absteniéndose de hacer chistes sobre su estatura y su gula proverbial.

Desde el día anterior a la llegada de mi primo, Freddy pasó a llevarme una levita de una película histórica —que se había robado sólo para vérmela puesta—, pero me halló muy nervioso. Me preguntó si le tenía miedo a Mauro. Yo le contesté que sí, y a grandes rasgos le expuse la historia de mi vida, que había sido lisa y desierta hasta que había buscado a mi primo para mejorar. Le expliqué también que no lograba el tan ansiado mejoramiento, además de describirle la sensación de que me movía en círculos. Freddy me ofreció acompañarme, para impedir que mi primo se cebara con mi incompetencia y mi manera de gastar. Si bien tomaba conmigo una distancia salutífera, Freddy parecía interesarse por mí y a diario me enviaba alguna cosa, o me llamaba por teléfono para saber cómo estaba.

Alejandra me había perdonado el berrinche, pero nuestras relaciones estaban dejando de ser tan estables, ascendentes y tranquilas. Aquellos primeros días, tan paradisíacos, de tanto entendimiento, no se lograban repetir. Nos veíamos y hablábamos prácticamente a diario, pero el que tomaba el teléfono aquel día se sentía derrotado. Terminábamos la tarde discutiendo por nimiedades, por delicadezas que de uno u otro lado se suscitaban, y ya ni soñábamos en besarnos largo o en ir más allá. Mal que bien, la presencia paternal de Freddy me ayudaba a capear el temporal. Sin embargo, éste me llamó en la noche para avisarme que finalmente no podría acompañarme a recibir a Mauro, pues debía estar encerrado hasta la noche preparando una escenografía futurista; también quería saber si traía puesto el pijama de seda que me había comprado en El Dragón de Oro, pero ése era otro tema.

Fue, entonces, una tarde inquieta, triste y agrisada de la ciudad, la que acogió a mi primo en su avión particular, un día que Dios quiso fuera martes. Me fui a presentar desde temprano al aeródromo de Balbuena con el Packard recién encerado, dominado por una mezcla de emoción y temor, solo y mi alma, pues el chófer que contratamos nunca se presentó. Con el paso de los días, la figura de Mauro, que antes se me aparecía en los sueños y hasta en la fantasía, se había ido borrando: conservaba yo la impresión de sus ojos, su apostura y su voz varonil, y trataba con aquellos trazos borrosos de dar alguna forma a ciertas fantasías cada vez más delirantes, pero no me lograba representar claramente su rostro en la memoria, ni su altura, ni sus gestos.

Al dar el nombre de mi primo, me permitieron entrar con el automóvil hasta la pista 9 en que debía aterrizar, y mientras estaba ahí solo, con los mecánicos dispuestos para la llegada, dejando que el viento me golpeara el rostro y pegara mi gabardina al cuerpo, imaginé a Mauro descendiendo al suelo como un ángel. Fue por aquella imagen tan grandilocuente que no presté atención a algo más parecido a un mosquito que surgió de repente en lo alto del cielo, entre las nubes opacas, cargadas de lluvia, hasta que los mecánicos comenzaron a hacer señales y me gritaron que quitara el coche del centro de la pista, donde lo había parado, si no quería provocar un accidente. Alejé el auto y desde su interior vi, entonces, el descenso limpio del aeroplano Stevenson, de donde bajó primero un ser alto, polvoso y ágil, provisto de casco, gogles y un traje completo con botas altas, cuya mandíbula partida delató a mi primo. Sin pensarlo salí del coche y corrí hacia él, con los brazos abiertos, mientras bajaba del vehículo su comitiva: el doctor Lizárraga y —quién lo iba a creer— mi hermano Abundio.

A cualquiera lo frenaba la sorpresa, pero a mí no. Al igual que había hecho la mañana en que Mauro prácticamente me desterró de Tonalato, me abracé a su pecho arrasado en lágrimas, a su cuerpo ancho, fijo como un poste sorprendido e indiferente. Mauro pasó de la sorpresa a la risa:

—A ver, Artemio —exclamó, sacudiéndome el pelo jovialmente—, enséñanos ese coche de que tanto nos has hablado.

Yo me separé y fui valiente, porque con todo y lágrimas di la mano al doctor y un abrazo a mi hermano. Muy raro se veía Abundio, que casi siempre andaba desaliñado, muy prendido ahora con un traje azul marino, corbata roja, sombrero, y hasta peinado, apestando a colonia. Sin decir nada, Abundio me estiró un par de maletones, tomó otro par más ligero y así nos dirigimos al coche. Mauro ya lo miraba, le daba vuelta, lo inspeccionaba.

—¿No pudiste haber escogido otro color, Artemio? Mira nada más, parece de policía, ¿verdad, Bruno?

Bruno era el doctor Lizárraga, que como siempre veía todo con reticencia. Le abrí la puerta del Packard a Mauro, pero no se sentó a mi lado. Mandó a Abundio al asiento delantero y se sentó con el doctor atrás. Mientras hablaban de cosas que yo no entendía, de gente desconocida, cortó para decirme:

—Va a haber que cambiarlo por uno blanco.

Me entró el temor espantoso de que la casa no le pareciera, pues daba la impresión de que todo lo que le rodeara debía gustarle y en mí nació un afán inexplicable por satisfacer hasta su más mínimo capricho, afán que no se cumplió. Mi hermano Abundio no dijo una palabra en todo el camino. Se puso unos lentes oscuros y se sonrió con sorna cuando Mauro me regañó de nuevo por el color del auto.

Cómo me hubiera gustado que estuviera Freddy en la casa. Cuando llegamos, esperaba a Mauro un grupo de periodistas y mensajeros cargados de flores y tarjetas de saludo. Mientras me estacionaba, Mauro pidió a Lizárraga que se hiciera cargo de toda esa gente y me ordenó que diéramos la vuelta para que entrara por la parte de atrás. Cruzamos la verja y el jardín bajo el sol. El jardinero nos miraba desde su covacha, con el rastrillo en la mano. Mauro no reparó en él; de hecho, no reparó en el mayordomo, ni en la servidumbre que salió a recibirlo. Miró y calibró la casa con presteza, mientras en el salón cerrado Lizárraga hablaba con las personas que habían esperado a Mauro a la entrada y hacía declaraciones a la prensa. Nosotros subimos a las habitaciones, siguiendo Abundio y yo como perritos a nuestro primo, que cuando llegó a la que por lógica era suya por grande y principal, se quedó pasmado. Le dijo a Abundio:

—Baja y dile a Bruno que hay que citar a todo mundo aquí como a las seis.

Cuando se fue mi hermano, me preguntó sin voltearme a ver:

—¿Tú le permitiste a Santamaría esto?

Yo temblaba junto a él; hubiera deseado ser Abundio, para que me mandara a otra parte, no ver aquel tálamo junto a Mauro, no soportar la mirada de burla que lanzaba mi primo al lecho donde yo había rendido mi virtud, y que desde entonces admiraba yo con veneración, como si esas sábanas satinadas —las cuales por supuesto ya había llevado personalmente a la tintorería— fueran un tributo de mi carne. Estaba loco. Cómo pude arropar semejante fantasía. Mauro recorría el pasillo y se asomaba a las habitaciones. Frente a cada una lanzaba un suspiro. El mayordomo subió con las maletas y las colocó en los cuartos. Mi primo se metió en el suyo y cerró la puerta, sin decirme nada más. Nunca se volteó a mirarme.

Vagué por la casa toda la mañana, viendo si algo se ofrecía, y sólo en alguna ocasión me preguntó el doctor Lizárraga dónde andaba el mayordomo, que llamaba y llamaba y no acudía. Una vez que habló con él, ordenó y dispuso todos los asuntos referentes a la casa; a mí me pidió la chequera de Mauro. Luego me mandó a comprarle unos Lucky Strikes y unos Elegantes, todo lo cual fue para mí el colmo de la humillación. En el camino a la tienda de ultramarinos, me encontré a mi hermano merodeando por los alrededores de la casa; quise aprovechar para platicar con él. Le pregunté cómo había llegado con Mauro, qué trabajo desempeñaba.

—Pues aunque no te guste, ya estoy aquí —me espetó como un gato furioso.

Y añadió que si fuera por mí, jamás hubiera venido:

—Tú no eres el único que va a progresar, Artemio.

Le insistí en mi buena disposición hacia él, pero fue inútil. Lo que colegí de sus frases enrevesadas, llenas de resentimiento, fue que había partido a Tonalato con lo que yo les había enviado a mi madre y a él, y que ni siquiera había pedido consejo, ni mandado una carta. Imaginé que mamá se habría quedado inquieta, y me prometí hablarle por teléfono aquella misma tarde.

—Bueno, Abundio —insistí—, ¿pero y qué trabajo tienes con nuestro primo?, ¿qué te ha puesto a hacer?

184

Pero Abundio no me respondió. Se terminó de tomar una coca-cola con un popote a rayas rojas y blancas. Después de dejarla en el mostrador, se fue a caminar por el parque, con las manos en los bolsillos.

En general los hermanos no se llevan y nosotros no éramos la excepción. Yo era el más flaco y enfermizo, quizá por eso el más consentido por mamá, pero Abundio, como hermano menor, podía pensar que a él correspondía el papel de chiqueado y me odiaba por arrebatárselo. Era algo que siempre había sentido, pero el hecho de que siempre anduviera yo en la escuela y él en los arrabales de San Gil jugando béisbol, hacía inútil cavilar sobre este tipo de problemas. Caminé por la avenida del Hipódromo y me senté en una de las bancas alegres del camellón: ahí, mirando a las altas copas de los árboles, pensé que quizá debía buscar un trabajo y vivir por mis propios medios, pero con cierta dignidad. Ya consultaría a Willie al respecto. Quizá después podría hablar con Mauro más tranquilamente de mi futuro. Quizá no sería necesario desaparecer ipso facto del ambiente elegante que ahora frecuentaba.

Cuando regresé a la casa, espié por la puerta del comedor para ver si habían puesto un lugar para mí. Al constatar que lo habían hecho, me tranquilicé: no quería Mauro que comiera en la cocina con la servidumbre; nuestra sangre, por lo menos, contaba todavía en algo para él. Fue una comida silenciosa, en la que Mauro mandó poner música de Beethoven y Abundio no se quitó los lentes. Viendo a mi primo llevar la cuchara a sus labios, dirigir al jardín una mirada llena de ensoñación, arrugando un poco el entrecejo, conversar con el doctor Lizárraga de un negocio al que aludían con expresiones como cerrar el trato, organizar los pedidos, armar los proyectos, buscar bodegas para la mercancía, se apoderó de mí la vieja fascinación; el veneno que me había empezado a inocular con su desprecio, lo fijaron sus gestos, su educación exquisita, la certeza que permeaba cada una de sus palabras. Se había cambiado el traje polvoso y varonil de piloto por un traje claro, impecable con su pañuelo de puntos, el pelo peinado bien hacia atrás: ninguno de mis experimentos con la brillantina llegaría jamás a ese grado de perfección en el aplique. Igual no quise dejar ver mi admiración tan torpemente como en Tonalato, pues a pesar de todo la capital algo me había enseñado, pero lo espiaba de reojo entre cucharada y cucharada de sopa de brócoli. Me sentí alegre cuando, a mitad de la gelatina, me pidió que fuera a cambiar el auto azul por uno blanco y me devolvió la chequera, aunque sólo quedaba un cheque en el cuadernillo.

—Ahora, cuando necesites dinero, le tendrás que pedir al doctor, y decirle para qué lo quieres, Artemio. Yo creo que ya te has educado bastante y nos pagarás siempre con tu lealtad y discreción.

Sus ojos límpidos me instaron a aceptar sin decir palabra. En cambio, la mirada de resentimiento de Abundio cruzó sus lentes oscuros y se me clavó en el corazón. Pero si después de todo éramos hermanos, ¿cómo íbamos a pelear?

En la tarde corrí al garaje Bucareli, temiendo que no fuera tan fácil cambiar un coche por otro. Como lo había cuidado bien, sin chocarlo, el gerente del negocio me ofreció cambiármelo a cambio del pago de una pequeña diferencia que para mí, como siempre, fue abismal, y que cubrí con el cheque único que tonteaba solo en la libreta, casi como yo. Regresé a casa, entonces, en un Packard blanco, elefantiásico, digno de un pachá, y cuando corrí a mostrárselo a mi primo, me dijo Ismael que estaba en una reunión de negocios. Abundio cuidaba la puerta cerrada del salón, de donde salían varoniles gritos y exclamaciones, entre el rudo olor de muchos puros. Debía ser la famosa junta de las seis que Mauro había pedido al doctor que organizara en la mañana.

Algo que me espantó un poco fue distinguir, cuando mi hermano metió las manos en los bolsillos —un gesto en él característico—, que cargaba una pistola en el costado. Pensé que había sido una ilusión, pues en San Gil sólo cargaba un arma el presidente municipal y ésa la había ido a comprar hasta Tonalato. ¿Cómo aprendería Abundio a usar una cosa así? ¿No le daba miedo a Mauro traer de guardaespaldas al necio de mi hermano? Desde el rellano de la escalera vi que Ismael entraba al salón con una charola cargada de copas y refrescos. Al abrirse y cerrarse la puerta rápidamente, pude ver a varios caballeros muy elegantes, entre ellos un oriental ya de edad, con su cabello largo y lacio. Dado que Mauro tenía armada su corte y prescindía de mí, decidí tomar una siesta; más tarde, quizá, cometería la debilidad de llamar a Alejandra.

Primero le hablé a mamá, que estaba muerta de la inquietud y respiró por fin al saber que Abundio andaba con nosotros. Le prometí que vería por él en lo posible, sin atinar a explicarle qué clase de trabajo había conseguido con Mauro. Tampoco, en realidad le hablé de mí: ¿pues qué le iba a decir que la alegrara? En todo caso, le aseguré que mi progreso era continuado y me juré escribirle cuando mi vida tomara un rumbo más alentador, más decente. Estaba a punto de pedir comunicación con Alejandra, por ahí de las ocho, cuando llegó a la casa Freddy Santamaría, acompañado de unas actrices y de Ramón Navarro. Armaron un jolgorio sensacional en el hall, lleno de gritos, color y plumas.

—A ti te quería ver —le dijo Mauro recibiéndolo amistosamente—, ¿pues qué clase de habitación me has hecho?, ¿tú te crees que soy el conde Drácula?

—Tú me perdonarás —le respondió Freddy—, pero ando en un periodo expresionista, así que mejor disfrútalo, Mauro.

A Mauro le dio risa, pero noté que al doctor Lizárraga no. Mauro cuando se reía era un deleite, todo se relajaba y parecía mejor. Freddy tuvo la delicadeza de preguntar por mí y gracias a eso fui incluido, junto con mi resentido hermano, en aquella velada, que se prolongó hasta muy tarde. La cena fue informal, pues la desplegaron en una mesa larga, al lado de la sala. Cada quien se servía lo que su paladar ansiaba: había camarones, había caviar, champaña, las cosas más finas y mejores. A todos se nos subieron las burbujas. Las actrices, que parecían estrellas del cine, rodearon prácticamente a mi primo, le hicieron bromas, le coquetearon durante un muy buen rato, cosa que parecía tenerlo encantado y que me llenó de inquietantes dudas. Quizá nada era como yo había pensado y había cruzado solo al otro lado del río, por decirlo así, con la ilusión de encontrar a mi primo en un territorio más personal, por llamarlo de algún modo. Freddy, qué persona sorprendente, se portó hacia mí distante aunque amistoso, y platicó con el doctor Lizárraga, al que había dicho que odiaba tanto, como si fueran viejos amigos. Mi hermano se emborrachó y se estaba poniendo pesado con una muchacha, cuando Mauro lo mandó a dormir.

Más tarde, se inició el baile y las muchachas bailaron el fox trot con Mauro, el doctor, Freddy y algunos personajes rezagados de la reunión de las seis. Mientras, yo gozaba de la compañía de Ramón Navarro, con quien platicaba de mi futuro, de los planes que la juventud nos permitía aún hacer:

—¿Por qué no haces una prueba de cine, Artemio? Tú que tienes la amistad de Freddy, aprovéchala, haz como yo. Aunque no quieras ser actor profesional, sales en las películas y te ganas unos centavos.

Él había empezado como extra y ahora le daban papeles con dos líneas, tres líneas para decir.

—Tienes buena voz. Ahora en el cine andan buscando, sobre todo, voces. Es más, yo sé dónde te pueden hacer una prueba.

El caso es que mucho me rogó y acabé aceptando acudir adonde él me dijera, el día que me dijera, a hacer una prueba de cine. Ahí estaba mi oportunidad de ganarme la vida sin tenerle que pedir nada al doctor Lizárraga. Sería el champaña, o la alegría de ver a mi primo festejando como jamás lo podrían hacer en la rigidez provinciana de Tonalato, que hasta saqué a bailar a una de las muchachas, una rubia platinada que se llamaba Lili Reina, y que me juró ser la hermana gemela de Jean Harlow. Por cortesía no le hice notar que no se le parecía en absoluto: le dije que era idéntica. Luego Freddy anunció que ya se tenían que ir a descansar, pues empezaban a filmar en la madrugada, y el grupo se retiró tan ruidosamente como había llegado. Casi escapé a mi habitación, pues me dio muina presenciar alguna escena de intimidad entre Mauro y el doctor. En mi cama yacía un bulto que roncaba con estrépito y que, sobra decir, era Abundio. Con algo de resignación lo empujé hacia un lado y me dormí.

En aquellos días fueron muchas personas a visitar a Mauro. De entrada, en muchos periódicos aparecía su retrato, y arriba escrito: «Industrial tonalatense permanecerá una temporada en la capital», o bien una descripción sucinta de sus logros, sus compañías constructoras, los edificios, puentes y monumentos concebidos por él. También se le veía en las revistas, fotografiado junto a diversas personalidades en muchas fiestas y compromisos a que lo invitaban. Abundio y yo nos quedábamos en casa cuando salía; nunca pensó siquiera en llevarnos, como antes en Tonalato me había invitado a conocer a sus amistades. Sólo echaba mano de Abundio y su pistola —una

Colt 45— cuando se reunía en la casa con el caballero oriental y sus amigos.

Yo deseaba llamar a Alejandra, ya no me podía aguantar las ganas, pero ¿y si me pedía que la invitara a ver a mi primo, y éste no accedía a estar visible?, ¿y si quería que la invitara a comer, o que le comprara unas pieles, unas zapatillas, algún capricho, como antes? Desde que Mauro me había recortado los gastos, era de lo más engorroso pedir cada centavo al doctor Lizárraga y tener que explicarle su destino. Ya me había ocurrido que al pedirle dinero para comprar *Drácula,* por ejemplo, éste frunciera el ceño en son de desconcierto, o que me lo negara sin gastar saliva para decir no. Además, era difícil poder hablar a solas con Mauro, como hubiera querido, de las cosas que me pasaban o de mis necesidades materiales, como pedirle a Abundio que se durmiera en otro cuarto, pues mi primo siempre andaba muy ocupado, a punto de salir, tomando la siesta o hablando de negocios. Cada dos o tres tardes, si no salía, se quedaba encerrado en el salón con el chino y sus acompañantes, algunos chinos también, y otros que parecían de aquí. Eran gente de lo más ostentosa, llena de joyas y cigarreras de oro, y hasta me preguntaba yo cómo la finura de mi primo aceptaba el trato con personas así de raras. Gracias a Ismael el mayordomo, que por lo visto me guardaba alguna simpatía o quizá lástima, supe que con estas personas trataba un interesante negocio de importaciones orientales.

El propio Freddy, antes tan descaradamente solícito, se contenía frente a mi primo y recurría a los pretextos para hablar conmigo. No que yo extrañara sus regalos, o las demás cosas que tan mal le hacían a la salud y a mí a la moral, pero me hacía falta sentir su protección como antes, y más aún estando extrañado de Alejandra. De modo que me la pasé encerrado prácticamente en la casa, sin hacer otra cosa que avanzar en mi novela de los náufragos, pero con mucha lentitud. Ahora había compuesto las letras de una serie de canciones con las que los náufragos mataban las noches de desesperación, en lo que en el horizonte aparecía un pulpo gigantesco que con su tinta oscurecía el mar, y de paso se robaba a una de las muchachas de la isla. El capitán se lanzaba valientemente a cortar con su único cuchillo el maligno tentáculo que aprisionaba a la chica, logrando con ello rescatarla. Luego no se me ocurrió otra cosa. Miraba por la ventana al jardinero que se tapaba el sol con una mano y con la otra me saludaba, y le respondía con discreción. En las noches me encerraba a piedra y lodo, ayudado por los ronquidos de Abundio a no escuchar ningún ruido comprometedor de los cuartos principales. Ciertamente hubiera querido escuchar algo, constatar lo que había pensado de mi primo todo el tiempo, no habitar siempre este mar de dudas, pero algo me detenía.

Un jueves por la mañana apareció Mauro en el comedor mientras yo desayunaba un menudo exquisito. Me levanté con torpeza, pero él me hizo sentar.

—Hoy vas a la Dickson, ¿verdad? —me preguntó a boca de jarro.

Ya ni siquiera pensaba que debía seguir cumpliendo aquella encomienda, de modo que me lo quedé viendo con unos ojos de plato que seguro lo desesperaron, pero con su displicencia habitual prosiguió como si le hubiera respondido que sí:

—Me urgen esos informes.

Luego me aventó las llaves del coche a la mesa con estilo, sonriendo de una manera encantadora:

— Toma, para que no camines.

Su llavero tenía un elefantito de plata, que chocó musicalmente contra el cristal. Ya ni me terminé el menudo y me fui corriendo a ver a Willie a su oficina.

—¡Qué bueno que apareces, mi buen Artemio!, justo mi jefe superior me andaba preguntando por qué retira tu primo su participación de la Dickson y de varias empresas. Dice que si ya piensa dedicarse a criar ganado, como clásico tonalatense.

Yo no sabía nada de eso; con razón le urgía a Mauro su estado financiero. Le conté a Willie de las reuniones de negocios con el caballero chino, y las importaciones orientales. Willie paró la trompa y no dijo nada más. Por la ventana alcanzábamos a ver de nuevo una pareja besuqueándose y casi procediendo a la fornicación en otra oficina. Willie saltó:

—¡Marranitos! ¡Váyanse a un hotel!

Cerró airado la ventana y bajó los transparentes. Luego se murió de la risa.

—Pobres. Ya les corté la inspiración. Bueno, chato, ¿y dónde has andado?, ¿qué tu primo te trae en su séquito y ya te olvidaste de mí?

Yo me dejé caer en el sillón frente al escritorio; le expliqué cómo Mauro me había recortado tanto los gastos, que ni siquiera podía sacar de paseo a Mumú. Enseguida le pregunté si había modo de alojarme en su casa de Mecalpan.

—Así que te pide lujos, esa mujer. ¡Ah, qué sexo infernal! Ojalá y tu primo importe unas geishas: así corro yo a Perla y a esas desgraciadas. No quieren ya sacar fondos. Quieren dedicarse al arte, y que la revolución la haga tu rey mago, sobándose el lomo. ¿Y la poesía? ¿Y mi divina inspiración, qué?, ¿acaso pretende Dios que quede sepultada bajo este escritorio, chato?

Total no me dijo si había lugar para mí en la casa de Mecalpan. A lo mejor pensó que quería estar yo de entenado, como Lola, y me toreó astutamente. Me dio el informe, haciéndome prometer que pronto iríamos juntos a tomar caldo tlalpeño en Arcos de Belén.

De regreso, manejando el bonito coche blanco que ahora a Mauro le gustaba guiar personalmente con sus finos guantes de liebre escocesa, pensé que quizá estaba lastimando a Alejandra gratuitamente. Ella, dueña de una sensibilidad superior, era posible que me quisiera no sólo por los regalos y las salidas a los restaurantes, sino por mí mismo también. A lo mejor era sólo cosa de llegar con ella hasta el final, de unirnos en el espíritu y la carne, e inclusive, ¿por qué no? casarnos, para reunirnos en un mismo ámbito que salvara nuestras diferencias. Quién sabe qué me llevaba a tener esos pensamientos, pero el hecho es que a pesar de tenerlos, no la llamaba, hasta el día en que me encontraba desayunando solo, para variar.

Masticaba con cuidado la papaya fría, pues me lastimaba una muela. Leía el *Revista de Revistas* que Ismael acababa de comprar, cuando en un artículo llamado «Celebridades de hoy» me encontré a mi primo con un canapé en la mano, una copa de champaña en la otra, y a su lado, sentada en el mismo sillón de flores, a Mumú, brindando a la cámara. Del otro lado de mi pianista, otro joven delgado y moreno como yo ostentaba una sonrisa de mazorca, grande como un insulto.

Sin siquiera terminar mi desayuno, salí de la casa y crucé a grandes zancadas el parque San Martín. Iba verdaderamente furioso, aunque no sabía si lo que me producía la furia era que Alejandra estuviera con otro, o que la llegada de mi primo me hubiera quitado de golpe y porrazo mi derecho de picaporte con las personas que consideraba yo de mi amistad, y que éstas lo admitieran sin el menor reparo. Pues ¿quién era aquel jovenzuelo?, ¿era acaso uno de tantos Artemios que representaban a Mauro en las empresas en que participaba? Llegué al edificio de Alejandra y sin el menor empacho entré por el portal que estaba abierto. Recorrí de nuevo escalones, pasillos y puertas infinitas, sin saber exactamente qué era lo que iba a hacer, qué iba a decirle o a exigir.

Alejandra estaba estudiando. Podía escuchar sus ejercicios desde el pasillo. Para que me abriera con urgencia, me abstuve de tocar el timbre y golpeé la puerta con desesperación. Ella paró, corrió a abrir, y al quitarse la puerta de en medio de nosotros apareció su rostro iluminado por una mezcla de sorpresa, enojo y nostalgia.

—¿Aún te acuerdas de mí? —me preguntó, dejándome entrar.

—Tú a mí ya me olvidaste —le respondí cortado.

Me senté en el sillón, ella me sirvió una de esas cosas dulces que beben las mujeres y que antes me hubieran gustado, pero ahora no, y me dijo muy seria que debíamos parar estas relaciones que a nada conducían. Yo lo que tenía era anudados en la boca un montón de reproches, los cuales dejé salir desordenadamente, conforme la pasión y las lágrimas me lo permitieron: que qué hacía ella con mi primo, que por qué no me llamaba, que si le parecía yo poca cosa y quién era el tipo aquel que la acompañaba en la fiesta. Ella pareció no entender, pero por suerte ahí estaba el *Revista de Revistas* y le mostré la foto.

—Ah, ¿él? Ay Arte, pues en qué mundo vives. Éste es el chango Padilla, el caricaturista, que acaba de regresar de Nueva York. ¿No lo conoces?

Me mesaba los cabellos, desesperado. Hubo un silencio triste, en el que me sentí como una isla abandonada, viéndola a ella como un crucero festivo que se alejaba y con sus labios pintados me decía un adiós lleno de banderas, de focos multicolores.

—Ya sé que no soy de tu medio —lagrimeé—, hasta a mi primo le avergüenza llevarme a las fiestas, y aunque me hubie-

194

ra invitado, tú me hubieras desconocido ahí. Ya no hubieras podido decir que yo era tu sobrino.

Eso pareció darle risa. Hizo un mutis y me dejó solo, mirando la lámpara chinesca y el mantón que yacía arrugado a los pies del piano. Qué venía yo a exigirle, pensé, si ella era una reina. Ya estaba a punto de irme, cuando regresó. Se veía cambiada, decidida. Se acercó a mí y me extendió las manos, levantando mi desconcierto y llevándolo a su recámara. En el trayecto mis ojos buscaron a la mucama en la penumbra de la cocina, pero no había nadie que impidiera lo que por fin, de manera inopinada, iba a ocurrir. Al entrar con Alejandra a la habitación, me sentí de nuevo mareado por el perfume, las flores y los faunos labrados de la cabecera. Me recordé a mí mismo en la colcha púrpura, soñando con las blanduras de Alejandra, y sentí miedo. Me senté en la cama, la miré con expectación: por fin sabría qué ocultaban sus ropas, sus fondos, sus encajes. Esperé a que se quitara cada prenda, el vestido de satén violeta, el fondo de seda blanca, el corpiño, una a una hasta que casi quedó como Dios la había traído al mundo, excepto por las medias grises que subían hasta el muslo. Ahí estaba, frente a mí, el cuerpo que tanto había codiciado, muy blanco todo él, borrado con una delgada capa de talco, y los pechos que yo imaginaba brotarían hacia adelante explosivamente, como los de la escultura de la fuente, caían un poco, como con desgano. Y el pubis no mostraba, cual había yo ideado en la fantasía, un rizo dorado. En realidad, no era tan distinta de las otras mujeres que yo había conocido, y quizá tuvo razón al preocuparse por la distancia que entre nosotros interpondría su edad. Pero me odié por aquella decepción culpable, igual a la del fatídico día de la estación, y traté de ocultarla, así que la veneré porque hacía esto sólo por mí, que no la merecía, y sumergí mi boca donde hacía mucho tiempo, años quizá, se había entretenido el patético secretario de Educación. Sabía que al final sería un fracaso, porque mi cuerpo no mostraba más reacción que aquella tan emocional, y me dejó desarmado para el momento más importante. Yo insistí con los demás recursos a mi alcance, mientras ella jadeaba y decía no me dejes, Arte, no me dejes, no me vayas a dejar, pero no pude culminar con éxito la empresa. El miembro viril que tan contento me tenía, que estaba yo dispuesto desde siempre a mostrarle con orgullo, me traicionó: no hubo modo de levantarlo.

Aun así, Alejandra quedó bastante satisfecha. Se puso una bata de seda, salió y regresó con dos tazas de té en una charolita japonesa. Fumaba de una larga boquilla y parecía otra persona. Incluso el modo en que dijo «no te preocupes, a cualquiera le pasa», me pareció muy alejado de sus maneras finas, de su cultura general. Ni Lola, que era una profesional, hablaba con tanto mundo. Después empezó a hacer planes en los que yo encajaba como por casualidad:

—En la avenida Hidalgo, en Campeche —me dijo—, hay una casa muy bonita, muy grande, que es de una de mis tías. Ya me dijo que me la va a dejar y se va a pasar a la de mi mamá porque para qué necesita ella tantos cuartos, ¿verdad?, si sólo es una. Podemos vivir ahí solos y tranquilos, sin estar pendientes del qué dirán, Arte. Tiene un patio tan grande, que casi no hace falta salir, y una puerta que da a la muralla. ¿No te gustaría ver siempre el mar?

Yo por de pronto me fui quedando dormido en su seno blanco, pensando que era muy raro que con tanto amante le importara todavía el qué dirán. En todo caso, el que se fuera con ella a Campeche bien podía ser cualquiera. Al rato desperté y Alejandra seguía junto a mí, también dormida. Mi sexo erguido me saludaba con burla, después de haberme dejado en el peor de los ridículos, y antes de seguir quedando como un tonto aproveché la ocasión para írmele encima a Mumú, pensando que quizá entablaríamos algún tipo de lucha, pero no fue así. Ella me recibió casi sin transición y ahora la cosa fue más pareja. No sé si fue Alejandra o fue el orgullo, pero sentí una gran satisfacción, quizá más moral que otra cosa, muy lejana del éxtasis que en un principio había anhelado con ella, y que había obtenido sin pedir por otros medios que desgraciadamente hacían ahora una extraña comparación. Después, mientras mirábamos los dos al techo, los cuerpos estirados en el colchón que tanto había saltado con sus múltiples resortes, el diablo me dictó una pregunta:

—¿Verdad que te daría vergüenza contarle a mi primo en los cócteles de ricos que te revuelcas conmigo en las tardes?

Luego le dije que yo ya no era nadie, que no tenía nada que darle, y que me iba a comenzar de nuevo. Ella me insistió en que quizá en la provincia seríamos más felices:

—Mira cómo te ha puesto la capital, Artemio, estás lleno de ambiciones que no se te pueden cumplir, de resentimientos insalvables. Y yo, la verdad, ya estoy cansada. ¿Por qué no nos vamos juntos? En Campeche puedo decir que eres mi discípulo.

Me miró con algo que sí parecía verdadero amor, pero ¿cómo saber si lo era? Mejor me aguanté la debilidad.

—Yo creo que nuestros caminos se separan, así como me dijiste hace rato —le contesté.

Me vestí, y salí del departamento bastante triste. Quizá no era la casona de Campeche lo que me desalentaba. Era que Alejandra, de una u otra manera, me quería esconder tras bambalinas como al viejo secretario de Educación. Y yo, mal que bien, anhelaba estar también en algún escenario.

XI

En la tarde caminé a la casa desolado. Qué paradójico había sido, que la culminación de todos mis afanes hacia Alejandra fuera también la escena de nuestra ruptura. En realidad, yo también la había utilizado a ella para conocer un mundo diferente, para embriagarme con telas, perfumes y frases inspiradas. Ahora estaba crudo y desconcertado. Ella lo que necesitaba era tal vez un señor más grande que la quisiera, que la cuidara en el puerto de Campeche, que le hiciera unos bien merecidos hijos. Yo, si la acompañaba ahí, me sentiría siempre secuestrado. Mirando a los muchachos jugar béisbol en el teatro al aire libre que se asentaba a la mitad del parque, y calibrando frente a la estatua de los cántaros aquellos pechos que quizá ninguna mujer real alcanzaría a tener, me dije que tal vez el encuentro con mi primo había hecho jirones mi amor por las mujeres. Te han acabado por gustar los hombres, Artemio, este Mauro te vuelve loco, no te hagas, me dijo mi conciencia que siempre se pasaba de cruel, como si los sentimientos mismos no me hicieran ya sufrir bastante. Acallé mi conciencia comprándome una jícama con chile y limón, y luego de comérmela me regresé a la casa.

Las luces del salón estaban encendidas. Por los ventanales, detrás de las cortinas de encaje, alcancé a ver a los mismos señores de siempre, los orientales y mi primo, así como a algunos militares que nunca había visto, comiendo, bebiendo y departiendo acompañados de unas mujeres muy elegantes. Me abrió Ismael y me avisó que me había llamado Ramón Navarro, que mañana a las siete tenía la prueba en el foro dos de los estudios México Lindo, que diera su nombre en la entrada y me dejaría pasar. Cuando entré a la casa, me encontré a Freddy bailando en el hall con una pelirroja demasiado huesuda, a la que me presentó como la señora Tamaulipas.

—Tienes un primo sorprendente, Artemio, fuera de lo común; sus fiestas son siempre espléndidas. Casi diría uno que él solito hace la temporada de otoño.

Yo le sonreí con tristeza, él se disculpó con la señora Tamaulipas y me llevó aparte.

—Sólo espero que no se les caiga encima la pared del salón, porque es puro triplay y cartón corrugado. Pero vente a la fiesta, Artemio, tómate una copa. Ya sé que te he abandonado un poco estos días, pero es que con tu primo no es tan fácil, hay que andar formalito, formalito; ya encontraremos alguna ocasión.

Freddy me miró de frente con sus ojos verdes.

—¿Qué te pasa, por qué estás tan mustio?

La verdad no tenía ánimos de fiesta ni de baile. Además, la gente que estaba ahí, excepto Freddy, no se veía tan fina y agradable como, por ejemplo, la del palacio de las Bellas Artes. Los chinos tenían un aire rudo, los militares andaban todos armados y las mujeres me resultaban demasiado grandotas. Había algunas actrices de las que había llevado Freddy el otro día, pero todas ocupadas con algún monigote. Mauro, el caballero chino y un militar calvo, cargado de medallas, con un parche en el ojo, discutían acaloradamente en un rincón de la sala, junto a la pared con acabado de ladrillos donde se empotraba la chimenea. Todo me parecía extremadamente raro. Quizá era sólo, pensé, que debía recluirme en mi habitación, acostarme un rato, meditar. A lo mejor después vería el mundo distinto.

Le hice a Freddy signo de que ahora bajaba y subí a mi cuarto arrastrando un poco los pies por las escaleras. Para acabarla de amolar, encontré la puerta de mi habitación cerrada con llave; adentro se oían murmullos. Espié por el ojo de la cerradura y acabé distinguiendo al condenado Abundio brincoteando en mi cama, bien atareado encima de una muchacha. Golpeé la puerta violentamente.

—¡Abundio! ¡Deja a la señorita y salte de mi cuarto! —le ordené con la fuerza que me daban la mayor edad y el resentimiento.

Alguien se rió desde otro cuarto, o desde el rellano de la escalera, no supe bien. De repente Abundio abrió fúrico la puerta, como si estuviera a punto de golpearme, e incluso hizo el gesto de sacar su pistola, pero nuestra fraternidad a fin de cuentas lo detuvo.

— ¡Caín! —le esperé.

—¡Baboso! —me contestó, arreglándose la ropa.

Se fue dando grandes trancas hacia el baño del fondo del pasillo. En el cuarto, la muchacha se acomodó el vestido lo mejor que pudo, buscó sus calzones por debajo de la cama y me dijo muy compungida antes de salir:

—La verdad es que no me estaba molestando, no se crea, pero bueno, gracias, qué le vamos a hacer.

En cuanto me quedé solo, me di cuenta de que ya la casa de Mauro no era lugar para mí. No hallaba mi lugar en esa nueva sociedad de mi primo, ya ni siquiera podía encerrarme a escribir mi novela, y me la pasaba todo el tiempo lleno de inquietudes. Empaqué tres trajes y mis mejores camisas, mis libros más preciados, las cuartillas de mi novela, y decidí irme a casa de Willie, dejándole a Abundio el testo de mis pertenencias. Si la prueba de cine tenía éxito, podría pagarme mi alojamiento y rehacer mi fino guardarropa. Le rogaría a mi amigo que me aceptara en su casa y le insistiría a Lola en que andaba sin un centavo para pagar sus servicios, con el fin de que no me importunara. Lo que debía hacer era no despedirme de Mauro, pues sabía que con que me lo pidiera bastaba para quedarme a tontear, y después de todo, ¿qué tal si no me lo pedía?, ¿qué tal que me decía que ya me andaba tardando en echarme a volar? Eso sí que no tenía fuerzas para enfrentarlo. Prefería, simplemente, desaparecer, pasar a otro mundo más discreto y menos brillante, en el que igual podría conocer y tratar personas de mi interés.

Cobardemente, bajé por la escalera de servicio y en la cocina le pedí a Ismael un tequila doble y que llamara a Freddy.

—Ya me voy —le avisé cuando entró, jaibol en mano, estirándose el saco del jaquet—. Después te explico.

—Te estás yendo como las chachas —me sermoneó el muy sátiro—, ¿a que ni le has dicho a tu primo?

—Ni cuenta se va a dar —le contesté con un tono tan dramático, que hasta se me quisieron salir las lágrimas, pero me controlé—. Avísame por favor si algo le pasa a Abundio. Y por cierto, mañana voy a hacer una prueba de extra a los estudios México Lindo, ¿te encontraré por ahí, Freddy?

A Freddy se le alegró la mirada.

—¿Una prueba?, ¿de joven de conjunto?, ¿y por qué no me dijiste?

Me dio un abrazo muy grande y me despidió.

—¿Tienes dónde dormir?

Le dije que sí. Ya no quería repetir con él las experiencias, y menos después de lo que había pasado con Alejandra. Sólo le rogué que le avisara a Mauro, pues me daba vergüenza estarme yendo así. Seguro que era lo primero que iba a hacer. Freddy no se contenía cuando tenía un buen chisme que decir. Los chismes eran su gala, su traje elegante, su pase para acercarse a la gente. Vivía encerrado en los sets, y cuando lo liberaban se descocaba. De cualquier manera, yo sabía que contaba con su apoyo, pues se sentía de algún modo responsable de mí, un poco por haberme iniciado en las danzas sodomitas, y otro poco porque me tenía afecto.

Pero prefería quedarme con Willie, porque ante todo Willie era mi amigo, y eso sí no tenía precio. Eso le dije al taxista, envalentonado por los dos tequilas que me había tomado al hilo y sin interrupción, justo antes de salir, y que me explotaron en la cabeza nada más me acomodé en el asiento de cuero color mamey.

—Pues cómo no, mi buen, tiene usted toda la razón —me dijo el del volante.

—Dígame usted si no, los cuates no nos abandonan.

Él asintió muy convencido.

—No son como las viejas, ni como los familiares, ¿verdad? Porque ésos sí lo dejan a uno tirado, lo usan nada más y no les preocupa su futuro.

Y otra vez se me salieron las lágrimas. Mi conciencia me dijo: pinche llorona. Pues sí, y qué, le contesté.

—¿Mande? —preguntó el taxista.

Mejor cerré la boca, no se me fueran a salir los epítetos de mi conciencia. De hecho, cuando llegamos a Mecalpan, estaba yo medio dormido.

—Son cincuenta centavos, joven —me dijo el taxista zarandeándome.

Mientras buscaba yo la moneda en los bolsillos me preguntó:

—Oiga, ¿que eso es un congal?

—¿Cómo va usted a creer? —le contesté, imbuido por el espíritu de Willie—. Es la sacristía de la iglesia de San Teódulo, ¿qué no ve usted ahí el campanario, las cúpulas, el portal?

El hombre se quedó mirando, medio incrédulo, a la casa y a mí. Tuve que esperar a que se fuera para tocar el timbre y decir la contraseña:

—Vengo por el pan.

La señora Perla me abrió y se puso pálida. Luego corrió a la casa gritando: «Cristo, Cristo, milagro, milagro». Hasta tuve que cerrar yo el portón. Escuché voces conforme cruzaba el zaguán y me sentí inquieto, pero el tequila impedía que me calara el temor. Entré al comedor y ahí estaba Willie merendando cabrito con las muchachas. Se paró como si viera un fantasma:

—Bendito compadre, te hemos invocado y has aparecido.

Me hicieron sentar, me sirvieron de cenar y Lola me besuqueó un brazo, mientras exclamaba: «Es él, es él, su carne, su sangre, todo está aquí». Yo pensé que habían comenzado algún tipo de teatro político, o bien que me estaban vacilando, así que me reí un poco y empecé a cenar, a la espera de que Willie me explicara qué era todo eso. Por fin Willie me dijo:

—Estábamos muy preocupados por ti, ¿de dónde vienes?

Ya le expliqué que venía de la casa, y que, tal como le había dicho, mi primo me había cortado su manutención y debía yo buscar un alojamiento independiente y una vida digna.

—Mañana mismo tengo una prueba como extra de cine —me apresuré a añadir—, no creas que vengo aquí de gorra.

Todos me miraron extrañados.

—Oye, pero, ¿quién estaba en tu casa?

Les describí la fiesta y la gente que estaba ahí, sin entender su curiosidad. Al mencionar a los militares, Willie y las muchachas levantaron la voz y se pusieron a comentar ruidosamente.

—¡Entonces es cierto! —exclamó Dalila—, ¡Es Urbadán! ¡El general Jacinto Urbadán ha regresado a México de incógnito y parece que está preparando un gran golpe!

—Yo creo que nos vamos a Guatemala —dijo Lola—, ahí vive mi prima Leonor, y nos recibe, sólo tenemos que cosechar amapola para ella y su familia.

Yo levanté la voz para aclarar que en casa de Mauro sólo había una fiesta, que no parecía una conspiración ni mucho menos.

—Y además, si ya se sabe, es fácil que el general Caso les caiga encima, ¿no?

—Pues por eso estábamos preocupadas por ti, muchacho pazguato —dijo la señora Perla—. Pero ya te tenemos y aquí te quedas. Como a la una viene Gorráez a ver a Azucena: él es agente del general Caso, y ya le contará qué es lo que va a pasar. Tú estate tranquilo. A ver, Guadalupe, enciende la radio.

Sonaron unos lindos violines. Sentí un ambiente tan casero, tan maternal, que me puse a cenar tranquilamente una concha con un vaso de leche, pero paulatinamente me di cuenta cabal de lo que me decían: ¿Y Mauro? ¿Qué le iba a pasar a Mauro?

—Tu primo está condenado, chato —me soltó Willie con gesto grave—: anda con la mafia china. La metió Urbadán al país para jalarse a los políticos, a los hombres de negocios, y ya tienen a muchos comprometidos. Aquéllos nada más ven el dinero y les da igual vender tabiques que opio.

—¡Qué país! —comentó Amelia.

—Caso o Urbadán, les da lo mismo a fin de cuentas, olvidan lo que costó deshacernos de ese elemento espurio. Pero tu primo es de ésos, carnalito. Y además, ya ves, te corrió de la casa, ¿de qué te preocupas?

Luego de aquel discurso, Willie se puso a chiflar, acompañando una canción que sonaba en la radio, llamada *Ingratitud*.

Ya no le aclaré de nuevo que yo me había ido de la casa de Mauro por mi pie. Estaba muy preocupado, me imaginaba a los soldados del general Caso, los mismos que pacíficamente izaban el asta de la bandera todas las mañanas y les chiflaban a las muchachas en el zócalo, sitiando a aquellos hombres que bailaban y bebían en una casa de la avenida Hipódromo, disparándoles desde todos los puntos, haciendo añicos los cristales, incendiando la cuidadosa decoración de Freddy Santamaría. Pensaba en Mauro, en Freddy, en mi hermano Abundio, en Ismael el mayordomo que tan bien me daba de desayunar, en el guapo jardinero, en Lili Reina pegada a las medallas de un coronel rebelde, confiada porque le había prometido que la llevaría a Hollywood. Y lo peor era que aunque de todos ellos Mauro era el único que estaba haciendo mal conscientemente, drogando a sus compatriotas con la misma tranquilidad con que antes les construía puentes para coadyuvar a su concordia, era por el que más me llenaba de agitación. Me aniquilaba imaginar su bello rostro ensangrentado, su apostura derribada por una metralleta. En un momento hasta me paré y dije que tenía que salir. Quería avisarle a mi primo que estaba descubierto, que se debía largar, pero nunca había mentido bien, y le expliqué a Willie que regresaba a la casa de Mauro a buscar un libro muy importante que había olvidado.

—Espérate, chato, me insistió mi amigo. Al rato llega Gorráez y nos explica qué piensa hacer el general Caso. Porque todo depende...

—¿De qué depende?

—De que le confirmen si fue Urbadán el que mandó matar a la muchacha ésta..., a Matilde Saldívar, para fastidiar a Caso.

A Blanca, pensé, borrando su nombre real, que era tan común.

—Si no lo hizo, negociará él con los chinos, les dará ventajas, seguridades, se quedará con el pastel y a Urbadán sólo lo vuelve a deportar. Si le comprueban que fue él, que lo hizo para sacarlo de quicio...

Willie se quedó mirando un pedazo de cabrito que descansaba frío en medio de la mesa sobre un pedazo de papel, anegado en grasa:

—Así van a quedar todos —sentenció.

—¿Mauro también? ¿Y ellos no saben que el general ya sabe?

—No sé, a lo mejor, ¿qué podemos saber, chatito chulito? —concluyó Willie con una de sus payasadas, pellizcándome el cachete—. Ya vete a dormir con Lola, ándale, Artemístocles.

No se me ocurrió desobedecer a mi amigo, de tan impresionado que estaba. Mientras Willie me revelaba todas aquellas barbaridades con voz de barítono, las muchachas y la señora Perla se habían subido a descansar. Desde la escalera le dije:

—Mañana es mi prueba en el cine, a las siete.

—Ajá —me contestó.

—Si sabes algo antes, no dudes en despertarme.

—No —dijo.

El muy cabrón.

Las muchachas se estaban bañando, peinando, preparándose para dormir. El reflejo de las luces de sus habitaciones iluminaba el pasillo, que todas cruzaban de aquí para allá en paños menores, pidiendo prestado un peine o platicando con gran excitación de lo que iría a pasar: si habría guerra de nuevo, como hacía once años, si tendrían que evacuar la ciudad. Cuando me vieron subir, me agarraron entre varias, me llevaron al cuarto de Lola y me chiquearon.

—Pobrecito —decían—, casi te quedas ahí, en medio de una emboscada, como los del automóvil gris.

Lola sacó una botella de tequila y propuso que leyéramos un rato *La Ilíada* mientras escuchábamos el programa de radio de Agustín Lara, pero yo le pedí que no. Muy acomedido supliqué a las muchachas que si podía dormir tranquilamente en algún cuarto, sin molestar y sin que lo tomaran a ofensa.

—Así es él —dijo Lola como una madre orgullosa de conocer bien a su hijo, aunque eso sí, un poco molesta—, a Artemio dormir le encanta.

—Te arrullamos, Artemio, ¿no quieres? —insistió Guadalupe—. Ándale, Arte, no seas así, hasta te cantamos.

Al oír que me llamaba como hacía Alejandra me puse violento:

—No me vuelvas a decir así —le contesté a la chica, apretándole el brazo con fuerza.

—Mejor lo dejamos aquí, a que se serene tantito —mandó Lola—, si ya es bastante con que Dios haya escuchado nuestros ruegos y nos lo haya enviado.

—Bueno, pero total, ¿hay o no Dios? —alcancé a oír que preguntaba Lucinda en el pasillo—, yo no las entiendo; tanto estudiar a Marx y nada más se preocupan y se vuelven mochas.

—Para el caso es lo mismo —contestó alguna.

Total que ahí me dejaron, acostado en el cuarto de Lola, sobre una colcha de encaje.

—Si te pica la colcha me avisas —me dijo Lola antes de salir.

Estuve con el ojo pelón bastante tiempo, tratando de distinguir los ruidos provenientes del pasillo, o de la puerta. Oí la música de la radio y la voz de una de las muchachas leyendo. No escuché que Willie o la señora Perla se subieran a dormir. ¿Dormirían acaso en alguna otra parte de la casa?, ¿dormiría Willie con la señora Perla? Mi preocupación era saber cuándo llegaba el tal Gorráez, y cuánto tardaba, después de satisfacer sus ansias con Azucena, en contar las últimas noticias. A lo mejor hablaba de sus preocupaciones militares mientras hacía el amor, jadeando secretos de guerra. Ciertamente valía la pena tener un negocio como el que habían puesto estas personas: se enteraba uno absolutamente de todo, dada la alta posición de la clientela, y la debilidad a que la obligaban estas actividades. Pensando en esas cosas, escuchando cada ruido y tratando de discernir de qué se trataba, me quedé dormido sin haberme quitado la ropa y preguntándome si ya al día siguiente no sería demasiado tarde, si Mauro ya habría dejado de existir.

No fue Willie el que me despertó. Fue Lola, que me empezó a besuquear.

—Ay Artemio, cómo me gustas —me dijo—, pero ni modo: ya son las seis. Párate para que llegues a los estudios.

Me había traído una rica taza de chocolate, que tomé agradecido. Había desempacado mis cosas y había planchado mi traje azul, para que me viera bien.

—Estás bien loca, Lola, te tienes que cuidar —le dije.

—Oye Artemio, ¿tú crees que si te va bien me puedas recomendar para el cine?

Le prometí que haría todo lo posible. Primero tenía que presentarme a la prueba yo, e ingresar al mundo de la farándula. Luego, esto no se lo dije, tendría que averiguar la suerte de mi primo. Me lavé, me rasuré, me dejé peinar por Lola y por último me eché colonia Fango de la Ribera, una que le robé a Mauro antes de salir de su casa, para tener algo de él. Al bajar no encontré a nadie: la casa entera dormía. Le pregunté a Lola si había venido el tal Gorráez, y ella me contestó que no.

—No sabemos nada —me dijo—, pero tú no te preocupes. Aquí con nosotros estarás a salvo. Sólo no tardes en regresar.

El problema fue después hallar un taxi en ese pueblo y a esas horas. Tuve que caminar casi hasta la carretera, y subirme a un camión a defender mi olor fino de todo el obreraje que marchaba resignado y compacto hasta Azcapozalco. Me bajé en Insurgentes, pregunté por los estudios y caminé, qué le iba a hacer, como quince cuadras. En el camino me compré el *Excélsior* y unas pastillas de menta; la agitación me hacía caminar rápido, y de pensar en si habrían agarrado a Urbadán o no, olvidaba a ratos la finalidad de tantas prisas y tantos afanes. Ya sin primo, quizá de la tristeza preferiría regresar a San Gil, pero le había prometido a Lola buscar una oportunidad en el cine, y aquello me obligaba a seguir mi vida aquí. Tratando de leer el periódico caminando rápido, me sentí mareado. Mejor apuré el paso con la duda bajo mis pies.

Cuando llegué olía a sudor, a tierra, y a los cigarros Tigres que fumaban los obreros en el autobús. Estos estudios eran mucho más pequeños que los de la vez pasada, donde había visto trabajar a Freddy; parecían un gran garage, con su barda blanca alrededor y sus hules plantados a la entrada. En la puerta pregunté por Ramón Navarro y el foro dos, y me dejaron pasar. Adentro había poca actividad; por lo visto hoy no era día de filmación. Adentro, unos bodegones ostentaban sus techos de cristal, como grandes invernaderos, y me imaginé que una balacera aquí sería muy riesgosa: ¿cómo harían las películas de gángsters sin que nadie saliera herido? El foro dos estaba junto a un prado; frente a la puerta había una larga cola. Un señor me avisó:

—Si viene a la prueba, tiene que ponerse ahí.

Obedecí, con los nervios de que seguramente pasaría parado todo el día. Le pregunté por Ramón, pero no había llegado. Así que hice cola y me puse a leer el periódico para ver si algo decía del general Urbadán y de paso matar el tiempo. Los titulares parecían una indirecta dirigida a él: «Nadie va a turbar la paz y la concordia de la nación», había declarado el general Caso. Y adentro había un montón de desplegados: la Coalición Nacional Obrera, la Central de Grandes Comerciantes y Empresarios, en fin, varias de las principales organizaciones del país respaldaban, en grandes letras alargadas, negras y rojas, los esfuerzos del general Caso por mantener la unidad de la nación. Otras convocaban a una gran manifestación por la calle de Madero en apoyo al general presidente. La cola avanzaba más o menos lenta; dejaban entrar a uno, pasaban como quince minutos, salía y entraba otro. Eran tan variadas las expresiones de los que salían, que no se podía saber bien a bien a quién habían aceptado y a quién no. Yo leí mientras todo el periódico.

En la página de sociales, mi primo ya no aparecía en ningún brindis, como solía ocurrir últimamente. Ocupaba la parte central el entierro de Blanca en el cementerio Père-Lachaise de París, al que habían viajado expresamente los Rendón, los Legorreta, los Shilinski, en fin, las familias más destacadas del país, y ¡oh, sorpresa!, la señora Caso con la representación gubernamental. Aquello sí que resultaba una humillación, en el caso en que el general hubiera obligado a su esposa a aquella aparición pública tan fuera de lugar, o bien ella misma necesitaba hacer una demostración de ese género para deslindarse del hecho de sangre. En el ataúd blanco, coronado de crisantemos y cruzado con la bandera de nuestro país, yacía pálida una de las mujeres más bellas y apasionantes que yo había conocido, el cuello cubierto con encajes, seguramente para ocultar el navajazo apenas maquillado. Había muerto de amor, como debía ser, según yo que tanto sufría por esas cosas. Luego del entierro hubo una recepción en el Maxim's, donde los atribulados comensales comieron salmón y *côtteletes d'agneau au beurre noir.*

Pasé a la sección policiaca. Cuando estaba viendo la foto de Marta Prudencia Gómez, enseñándole descaradamente el liguero al juez durante el juicio que se le seguía como capitana de la temible banda de Correo Mayor, alguien me tocó el brazo: era Ramón Navarro.

—¿Por qué estás haciendo cola?, ¿que no preguntaste por mí?

—Sí —le respondí—, quién sabe qué pasó.

Me tomó del brazo y me metió a fuerzas entre los demás aspirantes, que protestaron con algún desgano: por lo visto aquí existía la costumbre de los favoritos y los recomendados.

—Viene conmigo —le dijo Ramón al señor que me había puesto en la fila, y él sin decir nada apartó la franela negra que hacía de puerta y nos dejó pasar al foro.

Adentro estaba muy oscuro. Cuando nos acostumbramos a la negrura, alcancé a distinguir una falsa pared al fondo, tras de la cual brillaba un resplandor. Ya más cerca, pude ver a uno de los aspirantes sentado en una silla —delante de una cortina y un telón con un cielo pintado, como en el estudio de Júpiter Zamora, el fotógrafo artístico de Tonalato—, iluminado su rostro fuertemente por una luz, repitiendo ante la cámara algunas líneas que le leía un sujeto en mangas de camisa. Al ver aquello sentí pánico y me di cuenta de que con la preocupación por lo que sería de Mauro, no había pensado ni siquiera en cuáles eran mis aptitudes, o si me gustaría que la gente me mirara frente a una luz, aunque fueran sólo tres personas. Había calculado que me hacía falta un sueldo, sin pensar en lo que debería hacer para ganármelo, pero ahora me percataba de que antes que nada yo era dueño de una arraigada timidez. Lo más bajo que pude le dije a Ramón:

—Yo creo que mejor ya me voy, tengo un asunto urgente que resolver.

Pero Ramón me descubrió; me tomó más fuerte aún del brazo y me susurró:

—No te preocupes, te va a salir muy bien. Con la percha que tienes, no hace falta ni que hables.

Ramón y yo nos miramos por un momento en la oscuridad. Al entrever su perfil a contraluz, a ras del mío, me pareció que me miraba en un espejo. Eso me gustó. El aspirante terminó. Ramón me llevó con el sujeto que llevaba una carpeta en la mano y le dijo:

—Mira Saturnino, éste es Artemio, el amigo que te dije.

El tal Saturnino me saludó de mano y me señaló la silla frente al telón. Ramón me arregló las solapas del traje y la corbata a rayas, procurando tranquilizarme:

—Lo vas a hacer muy bien, vas a ver.

Me senté, Saturnino me pidió que dijera mi nombre y mis generales en dos o tres frases; después él me dictaría algunas otras para que yo las dijera con intención. Encendieron el reflector, el camarógrafo echó a rodar su aparato, yo me puse a temblar. Balbuceé:

—Mi nombre es Artemio González; soy oriundo de San Gil McEnroy, en el estado de Tonalato. Tengo 22 años, acabé el bachillerato y he sufrido ya algunas penas de amor.

Mientras decía esto último, alguien irrumpió con estruendo al foro gritando:

—¡Ya lo agarraron!, ¡le cayeron a Urbadán!

Tal vez por esta interrupción no me dijeron nada sobre esta frase absurda que había pronunciado al último, pues la verdad no venía al caso. Pero eso lo pensé después. Como todos, pregunté a gritos qué era lo que había ocurrido y hubo mucho movimiento. Entró gente, se encendieron unas luces altas, el cameraman se paró de su banco sin siquiera apagar la cámara. Yo estuve ahí sentado unos instantes esperando a que me informaran, lleno de agitación; luego simplemente eché a correr hacia la calle en medio de la gente. Ramón salió tras de mí:

—¡Artemio!, ¿adónde vas?, ¿qué te pasa?

Me detuve y le contesté:

—¡Es mi primo! ¡Urbadán está en casa de mi primo!, ¡y Freddy también!

Ramón me señaló dónde estaba su coche, y muy agitados nos dirigimos a la casa que en mi inocencia había abandonado el día anterior, creyendo que no volvería más. Me preguntaba qué sería de mi hermano Abundio y qué cuentas le iba yo a rendir ahora a mamá si Abundio estaba arrestado, o peor aún, muerto.

En el camino le conté a Ramón de los militares y los chinos que había visto en la casa en los últimos días. Él no quería creer que Freddy siguiera ahí desde el día anterior.

—Si no, tendríamos que ir a buscarlo a la comisaría. Eso si no lo deportan a Los Ángeles junto con Urbadán y tu primo.

Luego se quedó pensando:

—A lo mejor nos conviene, Artemio. ¿No te quieres ir a Hollywood?

A mí me molestó que Ramón hiciera bromas con algo tan serio como lo que estaba pasando. Si decidía el gobierno terminar con la vida de Urbadán, poco menos que nada valdría la de mi díscolo primo, o la de un decorador parlanchín. Yo quería ver a Mauro por última vez, que allá en el extranjero, o en el Purgatorio, no me recordara como su pariente el que se fue como las chachas, cual dijo Freddy, sino como alguien que de verdad lo había estimado, y lo había hecho de modo tan ridículo, apabullado por su figura, por su grandeza, que él no se había podido dar cuenta. Y deseaba, por supuesto, estar a su disposición, ver si le podía ser de ayuda en una probable huida. Todo me daba vueltas, pensaba puras cosas discordantes, y

214

estaba tan nervioso, que cuando pasamos frente al departamento de Alejandra Ledesma, se me bajó la sangre a los pies y me eché a llorar. Ramón, como un hermano, me pidió que me calmara y me dio a oler un polvito blanco que me aclaró la mente y me sentó muy bien. Este Ramón de verdad era un ángel, ya lo estaba empezando a considerar una especie de alma gemela.

De lejos vimos la casa de Mauro rodeada de policías; decidimos dejar el coche a unas cuadras y caminar. Yo tenía la esperanza de que no hubiera nadie en la puerta trasera y pudiéramos entrar por ahí, pero también la custodiaban unos agentes. Cuando me dirigía a hablar con ellos, Ramón me detuvo: ¿qué tal si nos agarraban también, por conocer a Mauro y a Freddy? Era verdad. Nos fuimos a comprar unas tortas al Rico Tico y nos las comimos ahí mismo, en lo que esperábamos a que cayera la tarde. Ya cuando estuviera oscuro trataríamos de entrar, siquiera a que los sirvientes nos explicaran qué había pasado. Dieron las cinco. Mientras escuchábamos la hora Colgate en la radio del restaurant, un locutor dijo que el traidor general Urbadán había sido atrapado cuando intentaba huir hacia Toluca por el Desierto de los Leones, junto con otros militares. Nada dijo de mi primo, mi hermano, o Freddy; sólo anunció que a Urbadán y a su séquito se les haría un juicio castrense. Ramón me miró intrigado:

—¿No que estaban aquí?

—Algo sucede, le insistí, ¿o qué te parece muy normal que la policía rodee una casa?

A la mejor estaban esperando atrapar a más cómplices de Urbadán, justamente a quienes nos interesaban. En ésas vi caminar por la calle al jardinero, aquel que siempre me miraba a mí, y la verdad es que prácticamente a todos, de manera tan sugestiva. Lo alcancé y le pregunté qué había pasado.

—Anoche se escaparon todos —me respondió—. Cuando llegó la policía, ya no había nadie de los señores. Yo ya les dije. Metieron a Ismael en la cocina y ahí lo tienen todavía.

Luego me lanzó una sonrisa desdentada. Le agradecí, le rogué que no dijera que me había visto, le deslicé un billete de diez pesos que traía en el bolsillo de la camisa y regresé junto a Ramón. Estaba muy inquieto, pues tenía llamado en media hora para la película en la que estaba trabajando de indio yaqui. No quería dejarme ahí solo, pero le insistí en que me quedaría hasta que se fueran los azules, e intentaría con Ismael:

—Nada me va a pasar, no te preocupes. Al rato yo mismo te buscaré.

—Foro tres —me alcanzó a gritar mientras subía a su Fordcito—; toda la noche vamos a estar ahí encerrados.

Ya estaba bastante oscuro y decidí vigilar hasta que la policía se fuera. Para pasar desapercibido, me metí a un baldío, junto a una casa en construcción, casi en la contraesquina de la casa de Mauro. Ahí sentado en una piedra, al abrigo de las miradas merced al pasto largo que crecía con desaliño, me percaté de que los policías se empezaban a aburrir. Yo no. Un gato negro, uno rayado y uno gris, junto a mí, perseguían a una gata manchada de todos los colores. La pobre se trepó a un hule, que poco le ayudó, pues la rama elástica se balanceaba y casi la ponía al alcance de sus perseguidores. Uno la llamaba, el otro daba vueltas al árbol, y el rayado de plano se trepó tras ella. La gata y éste se empezaron a arañar, mientras subían los otros dos, pero una pedrada y un grito de borracho interrumpieron lo que de veras iba a ser una masacre:

—¡Cállense, tigresss!

Había sido el cuidador de la casa en construcción. Su piedra casi me da a mí en la cabeza. Cuando estaba pensando que mi escondite no era bueno y que los yerbajos me estaban empezando a hacer arder las manos, me percaté de que los policías de la reja trasera ya no estaban.

No lo pensé más que un segundo: corriendo crucé la calle agachado y con mi propia llave me metí al jardín. Se alcanzaba a ver una luz en la cabaña del jardinero. Repegándome a la reja alcancé la cabaña y toqué levemente en el cristal. El jardinero abrió con cuidado y me hizo pasar.

—¿Todavía están? —le pregunté, pues no había alcanzado a ver desde la calle si quedaban policías en la parte de adelante de la casa.

—Shhh —me hizo callar, y apagó su luz.

Tuve la sensación muy extraña de que este jardinero me iba a hacer algo, justo cuando ni siquiera podría gritar —y tal vez, honestamente, ni me hubiera gustado—, pero sentía su respiración fuerte junto a mí. Entrar a la cabaña que habité al llegar a la casa me había dado un golpe de nostalgia. El jardinero me señaló las ventanas superiores de la casa:

—¿No ve la luz? —me dijo—, allá arriba.

Efectivamente, en la ventana del cuarto del doctor Lizárraga se alcanzaba a ver la luz inquieta de una linterna, o quizá una vela, moverse de un lado a otro. Luego de un rato, alguien abrió con mucho cuidado la cortina, pero gran parte de ésta se venció: la decoración de Freddy se empezaba a derrumbar, dejando ver dos sombras pegadas a la ventana, que se abrió despacio. Por ahí lanzaron una maleta que cayó entre las flores sin hacer demasiado ruido, y luego otra. El jardinero y yo mirábamos hechizados la escena, como si fuera una película. Su boca desdentada se volteaba hacia mí y sonreía a trechos, comprobando nuestra fascinación. De repente, una de las sombras puso el pie en el alféizar, se impulsó y dio un salto ágil hacia el jardín. Cayó en sus pies y manos, casi como un gato, tomó una de las maletas y echó a correr. Yo estaba casi seguro de que era

Ismael, con algún otro de los sirvientes, o bien —ojalá— Abundio. Luego tocó el turno a la otra sombra: apoyó el pie de la misma manera y se lanzó al vacío, pero con mala suerte: casi se fue de cabeza. Al caer se golpeó todo el cuerpo y quedó inane. Yo esperé unos instantes a ver si la primera sombra regresaba, cosa que no hizo: o habían quedado de verse en otra parte, lejos, o bien habían pactado separarse, pero, ¿quiénes eran? Con cuidado me salí de la cabaña; el jardinero seguía pegado a la ventana, como alelado.

La noche estaba oscura; sin embargo, justo al acercarme al bulto que yacía entre camelias y begoñas, la nube que cubría el cielo se separó como un gran telón y un rayo de luna penetrante iluminó el rostro desmayado de mi primo Mauro. Qué zozobra se apoderó de mí: parecía muerto. Me arrodillé ante él, apoyando enseguida mi rostro en su pecho como la vez en que me fui de Tonalato, y aquella otra en que lo recibí en el aeropuerto, pero ahora no sentía su respiración, aunque ciertamente su frialdad era casi la misma en ésta que en aquellas ocasiones. El cabello castaño despeinado le hacía ver más joven, y su expresión era de angustia. ¿Qué podía hacer yo?, ¿debía gritar para pedir auxilio, llamar la atención de la policía y que lo ejecutaran en un pelotón junto al general Urbadán?, ¿debía dejarlo que se muriera ahora? Pedí al jardinero, el cual se había acercado cautelosamente, que por favor corriera a buscar al primer hombre que había saltado antes que Mauro: con toda seguridad era el doctor Lizárraga, y podría echar mano de sus artes para salvar a mi primo. Pero, ¿por qué no se había esperado?, ¿por qué había escapado así? Cuando el jardinero se fue, me quedé solo, sintiéndome, como siempre junto a Mauro, un inútil. Tal vez fue de ansiedad, tal vez fue pensando que le podía aplicar la respiración artificial, tal vez fue porque recordé el cuento de la bella durmiente, o que jamás en mi vida tendría yo esta ocasión. O una mezcla de todas. El caso es que, cerrando los ojos, apliqué mis labios a la suculenta boca de primo que ahora se veía tan, tan pálida, y sentí su rostro raspar el mío, como un premio bien triste a mis anhelos, así como su aliento cálido que mi boca percibió con satisfacción, pues quería decir que estaba vivo. Nunca supe si fue entonces o justo cuando levanté la cabeza y lo vi abrir los ojos, que escuché muchos pasos afanados por el jardín. Luego, una voz inconfundible gritó detrás de mí:

—¡Qué hacen ahí!

En ese momento nos iluminaron con una linterna potente; sobre nosotros se abalanzaron un montón de policías, comandados por un capitán chaparro y gritón que vestía gabardina y sombrero.

Era Willie Fernández.

XII

Los policías se llevaron a Mauro cargando hasta el salón. Willie, sin decirme nada, como si no me conociera, ordenó que me metieran a la cocina y me guardaran ahí, con Ismael. Yo estaba muy sorprendido de ver a mi amigo convertido ahora en policía o detective, no sabría decir, y a la vez me preocupaba mucho que me hubiera sorprendido besando a Mauro, como si ambos hubiéramos sacado ahora nuestras cartas más ocultas. Me preguntaba qué iría a pasar ahora con mi primo, pues claramente había manifestado Willie su intención de interrogarlo, estuviera como estuviera:

—Ahora vamos a entrevistar a mister pichón —había dicho, antes de cerrar la puerta del salón, como tantas otras veces Mauro había hecho para arreglar sus negocios con los chinos en aquel mismo lugar.

Cuando entré en la cocina, Ismael se incorporó de la mesa en la que se había recargado para dormitar:

—¡Joven! —exclamó—, ¿qué hace usted aquí?

Luego se excusó por su brusquedad, pidió a los policías que me soltaran, me hizo sentar muy amablemente. Uno de los policías le dijo:

—Oiga, esto se va a tardar, ¿qué tal que nos prepara una merienda?

Ismael puso cara de humillado, pero como era todo un profesional y además no le quedaba de otra, aceptó, quitándose la levita ya polvorienta por los malos tratos de los azules. Éstos a su vez trajeron un juego de dominó de la patrulla y me invitaron a jugar.

—No tengo dinero —les aclaré.

—Entonces apueste sus días en el bote; así le hacemos con otros detenidos, y a veces hasta se ganan su libertad, ¿cómo la ve desde ahí?

Vi cómo Ismael meneó la cabeza mientras partía la cebolla, en señal de desaprobación.

—Si quiere yo le presto, señor Artemio, no acepte usted esos arreglos.

—Órale —le contestó un policía—, no seas tan servil, compañero. Por eso estamos así de mal; así las masas nunca se van a emancipar como quiere el general Caso. ¿Tons qué? —me dijo a mí—, ¿días por pesos?

—Está bueno —contesté—, total... qué me queda.

Al verlos dirigirse a mí de esa manera tan neutral, pensé que era muy probable que no se hubieran percatado de lo que hice con Mauro. Algo que me tenía con gran pendiente era saber si no tendría algún hueso roto, si de veras cuando abrió los ojos fue en señal de que estaba vivo, y no algún movimiento mesmérico del cuerpo ya cadáver, como había leído que podía acontecer. Al cabo de dos partidas, Ismael nos sirvió unas tortas compuestas magníficas, de pavo y pierna, con sus frijoles, su cebolla, su guacamole y su jitomate.

—A ver González —indicó el policía que siempre hablaba—, ve a licar qué está pasando, o cómo van.

Cuando González salió, le cambió su plato por el del otro, que estaba servido más generosamente. Luego tomó un chile jalapeño de la salsera, pero se detuvo un momento antes de morderlo y me ofreció:

—¿No quiere usted la torta de González?

—No, gracias —le dije.

En ésas regresó González:

—Nomás se oye al comandante Heredia hablar y hablar.

—Va para largo —dijo uno de los otros.

El comandante Heredia; este Willie tenía cada ocurrencia... o quizá su verdadera ocurrencia era llamarse Willie Fernández. De sólo pensarlo, se me asomó una sonrisa y me dio hambre. Todos comimos nuestras tortas con gran apetito, incluido Ismael, al que los policías invitaron a sentarse, y que terminó jugando dominó como los demás.

Al rato estábamos fumando muy tranquilos bajo el foco de la cocina, tan embebidos en el juego, que hasta se me había olvidado la gravedad de la situación. Los policías se habían descargado de sus pesados pistolones, poniéndolos junto al fregadero, tras haberse quitado las chaquetas y arremangado la camisa. Cada tanto, Jiménez, que era el que los comandaba, mandaba a González a ver qué estaba pasando con Mauro y con Willie.

—Ahí siguen platicando —decía González.

Me daba la impresión de que se estaban riendo de todo lo que pasaba, pero permanecían absolutamente inexpresivos por fuera. Sería mi contacto prolongado con las clases ilustradas, que yo ya no sabía bien ser así.

En uno de sus regresos, González me indicó:

—Lo quiere ver mi comandante Heredia.

Estaba tan desprevenido que salí sin preguntarme siquiera lo que podría ocurrir. En el quicio de la puerta del salón, Mauro y Willie conversaban amablemente, como si fueran compañeros de negocios o amigos.

—Me saluda mucho al general, y dígale por favor que ya sabe, que estaremos a sus órdenes en Tonalato. Ahora nos vamos a descansar un poco de la temporada en la capital.

—Por supuesto —le contestó Willie—, él estará encantado; yo lo conozco, don Mauro, no tenga usted ningún pendiente. Yo le mando a los muchachos para que arreglen las descomposturas.

—Mire usted —le dijo Mauro haciéndome seña de que me acercara, y poniéndome la mano en el hombro cuando lo hice—. Éste es mi primo Artemio, me lo traje de Tonalato y me ha sido de mucha ayuda. Artemio, te presento al comandante Heredia.

Willie me extendió la mano como si fuera un perfecto desconocido.

—Quiero que te encargues de devolver la casa y desmantelar la decoración —prosiguió Mauro dirigiéndose a mí como siempre—. Si hay que reparar algo, aquí el comandante te enviará ayuda.

Luego le dio la mano a Willie:

—Muchas gracias por todo.

—Al contrario —respondió éste levantando el dedo—. Primero que nada está el interés de la nación, y el empresariado es parte yo diría que fundamental de ella. Que tenga usted buen viaje.

—Claro que sí; ahora, si me disculpan, me voy a dar una ducha y a descansar.

Mi primo subió las escaleras majestuosamente, con la ropa raspada y la percha casi intacta.

—Vámonos, fanáticos de la ley —les gritó Willie a los policías.

224

Me volvió a dar la mano:

—Entonces usted me llamará, don Artisinio, cuando aprenda a quedarse donde le dicen que se quede, ¿verdad?

Luego me dio la espalda y se fue. Quién sabe por qué le había dado por llamarme así. El caso era que nadie me llamaba por mi nombre completo. Quedé perfectamente perplejo, viendo a mi mejor amigo abandonarme y a sus policías seguirlo en fila como chinitos de cuento. Sólo González me quiso dar la mano, embarrándome un poco de aguacate sin querer. Cuando los policías salieron, dando un sonoro portazo, se derrumbaron las cortinas del comedor, se cayeron los cuadros del hall, y la pared falsa del salón, la que rodeaba a la chimenea, se vino abajo estrepitosamente.

Ya iba a amanecer. Ismael me invitó a un café en la cocina y me explicó lo que había ocurrido desde que me fui: en la tarde, como a las seis, llegaron unos militares en un Peugeot verde, a buscar con muchas prisas al general Urbadán —que efectivamente era, como yo lo había supuesto, el del parche en el ojo. Éste y sus hombres escaparon rápidamente, junto con los demás invitados, en el Peugeot y en los otros autos en que todos habían llegado. Mi primo y el doctor Lizárraga subieron con los chinos a la biblioteca. Le pidieron a Ismael que apagara todas las luces de la casa; le ordenaron que, si llegaba la policía, dijera que no había nadie, cosa que hizo. Ismael despidió rápido a los demás sirvientes, por miedo a que los nervios les soltaran la lengua.

—¿Y el jardinero? —le pregunté.

—Se me olvidó.

Por eso anduvo el muchacho dando vueltas por el barrio, sin que a nadie le importara su presencia, ni siquiera a los policías, pues la verdad se veía un poco tarado. Hay gente así, casi invisible. Total, llegaron los policías y registraron toda la casa, sin encontrar a nadie. Quién sabe dónde se habían escondido los señores, porque buscaron muy bien. El comandante Heredia mandó encerrar a Ismael en la cocina y los policías lo interrogaron hasta que se cansaron. Cuando ya se lo iban a llevar a la comandancia, escucharon ruidos en el jardín de atrás, y por eso nos encontraron a Mauro y a mí.

—¿Dónde quedó mi hermano Abundio?

Ismael se encogió de hombros.

Lo que ya no sabíamos Ismael y yo era qué clase de arreglo había hecho Mauro con el comandante Heredia; seguramente alguno muy bueno para el interés de la nación, como había dicho mi cínico amigo. Yo me lo imaginé, pero preferí no hablar de estas cosas con Ismael.

Subí muy atarantado a la que había sido mi habitación y en el camino me crucé con Mauro bajando con los chinos por la escalera. Mi primo les iba dando explicaciones:

—Piénselo bien, señor Chang —decía—, y me habla por teléfono, o me manda un cable.

—No quiero pagar impuestos —murmuraba el señor Chang—, ya sería el colmo.

—*Bullshit. Pay taxes, no business* —decía otro chino.

Arriba estaba abierta la puerta doble de cristales de la biblioteca. Adentro, mi hermano Abundio miraba alelado un falso muro de libros abatido como una gran puerta, que dejaba ver un cuarto oculto atrás, con sus muebles, sus cuadros y su mesa llena de licores.

—Cómo fuman éstos —se quejó Abundio—; casi me ahogo.

Yo admiré la maestría de Freddy, que tantos detalles contemplaba al preparar una casa para mi primo, incluyendo un escondite a prueba de la sagacidad policiaca. Y también la de Willie Fernández, que había obtenido de Mauro un arreglo tan

226

satisfactorio, seguramente para el general Caso, que mi primo hasta se rió discretamente cuando se fue el señor Chang con su comitiva, y se metió a su cuarto chiflando. Benditos los ingeniosos, los que veían la siempre continuación de los callejones sin salida, los que podían escaparse por una falsa perspectiva pintada en una pared. Para probarlo, ahí estaba Mauro en su cuarto de satines negros y rojos, con su tina elegante, y Abundio y yo dándonos codazos y patadas en mi cama. Cuando despertamos, nos tuvimos que disputar la regadera del fondo del pasillo. Ya secándome se me ocurrió que pude haber usado la habitación del doctor Lizárraga, que iba ya seguramente de camino a Tonalato, Ton. Pero hubiera sido mucha confianza.

En la mesa del almuerzo, servida como siempre con su fruta y en esta ocasión con huevos motuleños y chicharrón en salsa verde, Mauro nos habló muy serio a Abundio y a mí:

—Primos, yo creo que no nos ha resultado bien trabajar juntos. Me parece que ustedes son demasiado inocentes para esta gran ciudad. Mejor regrésense a San Gil, antes de que les peguen un susto. Tú Abundio, devuélveme la Colt y regrésate hoy, y tú —se dirigió a mí— lo harás cuando termines de entregar la casa y arreglar tus asuntos. Del dinero no se preocupen: le mandaré a mi tía una mensualidad que alcanzará para que todos vivan bien. Quizá podrían estudiar una carrera en la universidad Tonalatense, que la verdad, la verdad, no le pide nada a la de la capital. Tan sólo las instalaciones son mucho más modernas.

Abundio abrió la boca.

—Y no se diga más —añadió Mauro paternalmente pero con firmeza.

Mi hermano se levantó muy enojado, y otra vez sacó su pistola en plan amenazante —por lo visto ya le había gustado el gesto—, pero terminó aventándola con violencia a la mesa de cristal. Mauro y yo nos echamos para atrás de miedo a que se disparara, aunque el fierro sólo hizo una rajada en el vidrio. Mauro y yo respiramos. Mi primo se apoderó de la pistola rápidamente y la guardó en su saco.

—Vete ya —le dijo a Abundio.

Mi hermano salió muy contrariado. Mauro subió a su habitación, y antes me pidió que le preparara el coche y lo llevara a la estación de tren. El doctor se había llevado el aeroplano.

Cuando pasamos el zócalo atestado de gente y cruzamos los mismos llanos descampados, por donde Alejandra se me había repegado en la ocasión en que fui a buscarla de Campeche, Mauro me pidió que detuviera el coche al filo de un barranco. Yo lo obedecí, con mucho cuidado para que no terminásemos en el abismo, bajo la pachorra de sol demasiado caliente. Al levantar la palanca del freno de mano, mi primo agarró la mía. Luego, tan violentamente se abalanzó encima de mí, que no tuve tiempo ni de responder. Él sí atacaba como una fiera. Con qué ansiedad le acaricié la nuca, con qué ardor me mordió el cuello y me desabotonó la camisa. Cómo me electrizó el perfume de su cara brillantina en el cabello peinado a la perfección. Pero no llegamos al final ni mucho menos; nos hubiera visto la gente que pasaba por ahí con sus mulas y sus borregos. Ciertamente, estuve a punto de ver a San Eustaquio otra vez, mas fue el propio Mauro quien se detuvo.

—Mejor le paramos, nos van a ver —me dijo, respirando fuertemente y arreglándose la ropa, riéndose como para sí.

Me aseguré de que Abundio regresara a San Gil, mandándolo a la terminal de camiones en un taxi junto con Ismael, y rogándole a Ismael que comprara él mismo el boleto, que trepara a Abundio al camión y que no regresara hasta no verlo partir. Después mandé un cablegrama telefónico a mamá, avisándole que mi hermano iba para allá. Más tarde llevé a Mauro a Buenavista. Pensé que, como solía, se iría sentado en la parte de atrás y yo haciendo el papel del chófer humilde, pero en este caso se fue adelante conmigo y eso me tuvo todo el camino con los nervios crispados. Habían sido muchas las emociones de la noche, y a pesar del corto sueño yo seguía cansado y con muchas preguntas.

Me parecía tan inconcebible que él mismo me hubiera dejado, sin necesidad de estar desmayado o inconsciente, tocar su pelo y acariciar sus hombros, besarlo, seguir con mi dedo su perfil y calibrar su hombría, que en aquel momento hubiera hecho lo que fuera, inclusive parar, inclusive alejarme, o hasta morirme tirándome al barranco, si me lo hubiera pedido, y si éste hubiera sido tan profundo como para poder hacerlo. Pero al mismo tiempo, se interponía entre nosotros una sombra apática, un olor suyo que no concordaba con el mío, algo que me desilusionó cuando me besó quizá de forma demasiado ruda, ¿cómo saber? Igual me le ofrecí:

—Tú dime qué hago, Mauro, yo haré lo que tú quieras por ti.

Él me respondió, sacudiéndose el traje, como si hubiera hecho una travesura, como si hubiera jugado a revolcarse con su mascota:

—Tú no te tienes que regresar. Pídele ayuda a Freddy de mi parte. Escríbeme si te decides quedar y necesitas dinero; puedes hacerme algunos favores. Y ahora llévame porque no voy a cachar el tren de las doce.

Lo llevé con el corazón destrozado, la verdad, muy confundido, y cuando me dio la mano para despedirse no se la quise soltar.

—Ya encontrarás a alguien como tú, Artemio, ya suéltame la mano. A ver, dame un abrazo.

Me abracé a su torso fuertemente, y le unté mis lágrimas en la chaqueta cazadora de gamuza café que traía puesta. Él me revolvió el cabello con distracción, con la mirada puesta ya en Tonalato. Le ofrecí comprarle el boleto, lo seguí hasta el tren y lo miré hasta que se fue. Quizá el secreto de Mauro era no estar nunca donde estaba, sino más adelante, en otro sitio. Y yo ya había pasado, para él, como el paisaje en la ventanilla de un compartimiento, con demasiada rapidez. Ahí entendí su relación con el doctor Lizárraga que tan gordo le caía a todo el mundo, y más parecía su debilidad que su verdadero amor: en realidad era el único que le seguía el paso, e incluso se adelantaba, preparando todo para que a mi primo la vida le resultara fácil. La prueba era que la noche en que escapaban de la casa y Mauro se cayó, el doctor no paró hasta llegar a Tonalato y preparar su regreso.

Todavía me detuve, de nuevo, en sentido inverso, donde Mauro me había besado y acariciado de motu propio por única vez, y recordé la escena tanteando la parte del asiento donde se había sentado. La verdad, no había sido lo que yo esperé; era como abrazar a un santo y percibir sus humores corporales, un fallo terrible en el cumplimiento de aquella ilusión, culpa mía, quizá. Ahí entendí en lo que consistiría el amor platónico. Luego hojeé *El Clarinete,* que me había comprado en la estación, mientras esperaba a que pasaran unos asnos que se habían quedado indecisos a mitad del camino: el día de ayer, grandes manifestaciones habían llenado el zócalo y la avenida 5 de agosto. Hoy se anunciaba un gran desfile militar en apoyo al general Caso. El general Urbadán fue enviado a las Islas Marías, y la nación se preparaba para continuar el prolongado bienestar momentáneamente interrumpido. Dejé el periódico a un lado. Los asnos no me dejaban continuar mi camino a la capital del bienestar. Apagué el coche y me dormí. Cuando abrí los ojos,

230

me rodeaban unas vacas, asomando sus ojos mustios por el cristal. Por suerte a ésas sí las quitaron pronto.

Cuando regresé a la casa, me esperaba Ramón. Había pasado toda la tarde marchando por obligación junto con el Sindicato de Técnicos y Artistas del Cinematógrafo, desde el Ángel de la Independencia hasta el zócalo y estaba algo pálido, pero muy contento.

—Qué bueno que todo se arregló, Artemio, porque te tengo una gran nueva: antes de que salieras corriendo, la cámara se quedó encendida filmando todas tus expresiones de preocupación, y a Saturnino le parecieron magníficas. Me dijo que eras perfecto para el grupo de condenados al infierno que aparecerá en *La traición de Judas*. Yo también saldré ahí, pero de apóstol. Diré dos diálogos.

—Dichoso tú —le respondí contrariado. No le hubiera contestado así, de saber que Ramón era el último amigo que me quedaba. Pero él no se fijó.

La señora Margot me pidió que me quedara en la casa hasta que hallara otro inquilino, lo cual me pareció bien. Pasaron unos días antes de animarme a regresar a Mecalpan para buscar a Willie. Me había estado haciendo guaje con la ilusión de que fuera él quien me hablara, pero no fue así. Supuse que ahora que había descubierto su verdadera identidad, no querría encontrarse conmigo, por miedo a comprometerse. Hasta tuve la sospecha de que quizá su cercana amistad conmigo fue un pretexto para estar al tanto de las actividades de mi primo. Esta idea me molestaba tanto, que ya no me aguanté y quise corroborarla. Decidí regresar a la casa de doña Perla con el pretexto de recoger mis trajes, mis libros y el resto de la novela que había dejado ahí.

La que me abrió fue la mismísima Lola.

—Uy —me dijo—, yo creo que mi padrino no te quiere ver.

—Pues tú dile que iguanas ranas —le contesté—. Y además, sólo vine por mis cosas.

Y entré sin que me invitara a pasar. Adentro había muchos cargadores, mucho movimiento. Willie estaba a la mitad de la estancia, en mangas de camisa, firmando una factura para un operario de overol.

—¿Y ahora para qué me quiere su majestad? —me preguntó en tono irónico.

—Pues disculpe, mi capitán —le respondí—, yo sólo vengo por mis bártulos.

Willie me encaró:

—Mira, Artemio: aquí te dijimos que no te regresaras y no nos hiciste caso. Me mentiste con lo de que Mauro te había corrido de su casa, y con la prueba de cine, y te fuiste luego luego a darle el pitazo a tu primo ingrato. Nada más pones cara de pazguato y engañas a todos.

Yo le expliqué a Willie que, de haber sabido que él era el policía que debía agarrar a Mauro, me hubiera comportado de otra manera, y que si yo no hubiera hecho ruido tratando de revivir a mi primo en el jardín, quizá sí se hubiera escapado. Así que, en todo caso, me debía su éxito detectivesco.

—Y no se las hubieran podido arreglar tan bien como hicieron, mi capitán Heredia.

Esto último lo dije con sorna y la boca me supo ácida. Willie no contestó nada.

—¿Así que lo tratabas de revivir? —me preguntó luego—. Vaya, vaya, Artemisito, pues nadie lo diría.

Se puso a desempolvar una silla. Después continuó, como si nada nos hubiéramos dicho antes:

—Pues ¿qué te parece, compañero de parrandas inolvidables? Nos cambiamos a un costado de palacio Nacional. Parece que después de esta operación tan exitosa, el general Caso quiere tener cerca a tu rey mago y a sus muchachas. Pondremos un bonito negocio lucrativo: venderemos camisas militares, casacas y boinas. A mí hasta me ofreció tomar un cursito en West Point, pero no quería alejarme de mi bonito harén. Además quién quita, tovarich, que estando tan a un centímetro del telarañoso poder, no logremos derribarlo algún día. ¿No quieres tantita horchata?

Luego se quedó un poco desanimado. Como que se inflaba para volver a decir sus cosas ingeniosas, pero ya no le salían igual.

—¿Sabes qué, Artemio?, agarra tus cosas y vete. Willie te buscará después.

Apenas recogí mis cosas y me fui, sin siquiera despedirme de las muchachas. Los días siguientes fueron demasiado tristes; no podía ni acordarme de Mauro o de Willie sin que asomaran a mi rostro algunas lágrimas. De tanta melancolía, me encerré en mi cuarto y no pude hacer otra cosa que seguir y seguir la novela de los náufragos hasta el final: escribí la muerte del capitán cuando trataba de escapar a pedir ayuda, en medio de un mar negro de presagios, a manos de una ingente mantarraya. A ésta añadí luego tres, cinco mantarrayas más y unos pulpos gigantescos que pasaban para terminar de destrozarlo por completo. La parte del negro la dejé para otro libro.

Para colmo, Abundio no había llegado a San Gil. Mi madre me telegrafió que no venía en el camión donde lo había mandado Ismael. Por lo visto, se habría bajado en Tonalato, donde forzosamente debía hacer un alto el camión.

Willie ya no me buscó. Supuse que andaba muy ocupado haciendo de capitán Heredia, y aunque por épocas lo extrañaba mucho, me aguanté. Nunca antes había estado tan convencido de tener que emprender una nueva vida por mis propios medios. La que vino a verme fue Lola, un día que vigilaba yo cómo vaciaban la casa de la señora Margot, en vísperas de mudarme con Ramón Navarro a su departamento, en una vecindad de puente de Alvarado. En mi recámara, mientras me ayudaba a meter mis pertenencias en una caja, Lola me pidió con mucha urgencia que la ayudara a entrar a la farándula, o a lo que fuera. Sinceramente no quería seguir ejerciendo aquel oficio en casa de Willie, por más antiguo y reconocido que éste fuera, ni vivir con él. Me dio pena, porque la quería bien, así que le ofrecí irse conmigo, sin compromiso alguno. Lola en realidad estaba llena de curiosidades: pronto, merced a las influencias de Ramón y de Freddy Santamaría, logró dar los primeros pasos de una promisoria carrera de actriz de cine.

Yo, después de algunas experiencias como extra, esperando durante horas y horas a aparecer un momentito en la cámara, muerto de frío o de calor, según era el caso, no quedé muy convencido de querer actuar en el cine. Presenté mi novela de los náufragos a un productor, y aunque cambiaron totalmente la historia a la hora de hacer la película, el paso sirvió para que me contrataran como argumentista en una filial de la Mogadon Cansino Movies. Gracias a ese trabajo pude vivir por mis propios medios, como era mi ilusión: pasaba el día escribiendo y mirando a mi gato Baptisterio cazar mariposas en el patio de nuestra bonita vecindad, de losas multicolores, mientras Lola y Ramón se esforzaban por aparecer en el chismerío de las revistas.

Freddy Santamaría tuvo otro infarto, pero no fue culpa ni de Ramón, ni mía. Unos meses después, ya repuesto y muy imbuido de su papel de mentor, se fue a Hollywood y desde ahí mandó por nosotros. Gracias a él, Ramón y Lola caminan al estrellato con sus nombres cambiados. En mi caso, los contactos con la Mogadon me han asegurado trabajo en la soleada meca del cinematógrafo, escribiendo películas para el público latino. Y yo que le dije a Ramón que no hiciera bromas..., en realidad, resultó ser un profeta.

La breve detención de Mauro salió en *El Universal,* pero la nota fue desmentida rápidamente; la mismísima mesa editorial aclaró que se trataba de una confusión lamentable. Poco después, Ismael amaneció muerto a unos pasos de El Colegio Club. Yo decidí prescindir totalmente del apoyo de mi primo y hace mucho que no lo veo. Sé que se acaba de casar con una bonita muchacha de la alta sociedad tonalatense —seguramente con el apoyo del doctor—, y aunque mi mamá me rogó que acudiera a la boda, ya no lo hice. En nuestra representación se apareció inopinadamente mi hermano Abundio, que cuando lo mandé a San Gil se bajó del camión en Tonalato y siguió hasta el norte, para cruzar el río Bravo. Con los dólares que ganó pizcando fresa, ha logrado casarse con una güera de nombre Wendy Lonnegan, vivir en Nevada y comprarle a mi mamá un refrigerador, una lavadora de ropa y un aparato para hacer waffles. Dice mamá que piensa abrir un negocio de juegos y apuestas.

Alejandra no se fue a Campeche; logró más bien que la señora Caso le consiguiera una residencia en París, desde donde refulge como siempre, gracias a sus infinitos dones. Hace tiempo que la vi fotografiada en la sección cultural de *Excélsior.* Reía de algún chiste que les estaba contando el siempre afamado Tarcisio Montelongo, descubridor de la tumba de Uxmal, a ella y a Maurice Chevalier en el Follies Bergère. Al otro lado la acompañaba un muchacho muerto de la risa, que sostenía un vaso de cuba libre: el pie de foto decía que se trataba de un joven escritor francés. La idea de que ese joven pude haber sido yo, quizá, me persigue desde entonces en mis insomnios, mientras miro por la ventana las estrellas de estas noches calientes de California, y Ramón y Lola duermen como niños en el «king size».

Lo bueno es que sufro pocos insomnios.

ALIANZA FICCIÓN